© Jeremy Moore

Ceredigion Coast Path

Teifi to the Dyfi

Gerald Morgan

Canllaw swyddogol Cyngor Sir Ceredigion i Lwybr yr Arfordir

Ceredigion County Council official guide to the Coast Path

Llwybr Arfordir Ceredigion

Cyhoeddwyd gyntaf yn Mehefin, 2008
gan:
Cyngor Sir Ceredigion
Is-adran yr Arfordir a Chefn Gwlad,
Adran Gwasanaethau Amgylcheddol a Thai,
Penmorfa, Aberaeron,
Ceredigion
SA46 0PA.

E-bost:
countryside@ceredigion.gov.uk

ISBN 0-9534383-3-3

Talfyriad CBHC
Hawlfraint y Goron: Comisiwn Brenhinol Henebion Cymru

Ceredigion Coast Path

First published in June, 2008
by:
Ceredigion County Council,
Coast and Countryside Section, Department of Environmental Services and Housing,
Penmorfa, Aberaeron,
Ceredigion,
SA46 0PA

E-mail:
countryside@ceredigion.gov.uk

ISBN 0-9534383-3-3

Abbreviation RCAHMW
Crown copyright: Royal Commission on the Ancient and Historical Monuments of Wales

Argraffwyd yng Nghymru yn Llandysul
Printed by Gomer Press, Llandysul

Cynnwys
Contents

*Mae'r awdur yn
cyflwyno'r llyfr hwn i'r holl
wirfoddolwyr sydd wedi
gweithio i wneud Llwybr
Arfordir Ceredigion yn bosibl.*

© Janet Baxter

*The author dedicates this
book to all the volunteers who
have laboured to make the
Ceredigion Coast Path
possible.*

Yr arfordir i'r gogledd o Gwmtydu
The coast north of Cwmtydu

Diolchiadau

Acknowledgements

Mae Llwybr Arfordir Ceredigion wedi'i ddatblygu gan Gyngor Sir Ceredigion â chymorth yr Undeb Ewropeaidd (trwy'r rhaglen Amcan 1), Cyngor Cefn Gwlad Cymru a Chymdeithas y Cerddwyr.

Ni fyddai'r llwybr hwn wedi dod i fodolaeth heb gydweithrediad nifer o dirfeddianwyr, contractwyr a gwaith di-dâl a diwyd grwpiau o wirfoddolwyr ymroddedig a oedd yn cynnwys pobl leol yn bennaf

The Ceredigion Coast Path has been developed by the Ceredigion County Council with the support the European Union (through the Objective 1 Programme), the Countryside Council for Wales and the Ramblers Association.

Nor would it have been possible without the cooperation of many landowners, contractors and the devoted unpaid work of groups of dedicated volunteers from the

Gwirfoddolwyr Cerddwyr Ceredigion ar waith
Ceredigion Ramblers work party

yn ogystal â gwirfoddolwyr rhyngwladol a noddwyd gan y Cenhedloedd Unedig. Mae'r grwpiau a fu'n gweithio ar y llwybr wedi clirio a chloddio sawl milltir o lwybrau newydd ar hyd llethrau serth a cheunentydd dyfnion ac maent wedi gosod dwy bont ar bymtheg a thros gant a hanner o risiau, gatiau mochyn a chamfeydd.

Mae'r awdur wedi cael llawer o gymorth gan nifer o unigolion, gan gynnwys Dennis Bates, Arthur Chater, Robert Colley, Alan Hale, Richard Hartnup, Jenny Higgins, Jon Meirion Jones ac yn enwedig Nigel Nicholas, sef Swyddog Prosiect Llwybr yr Arfordir Cyngor Sir Ceredigion. Mae'r awdur yn ddiolchgar i Dic Jones am y gerdd gyfarch Gymraeg ac i'r rheiny sy'n gyfrifol am y darluniau, y gwelir eu henwau wrth ochr y lluniau.

Ceredigion Ramblers work parties, Aberystwyth Conservation Volunteers and international volunteers sponsored by the United Nations. The work parties have cleared and excavated many miles of new paths along steep slopes and deep ravines, installed seventeen bridges, over one hundred and fifty steps, kissing gates and stiles.

The author has been greatly helped by many individuals, including Dennis Bates, Arthur Chater, Robert Colley, Alan Hale, Richard Hartnup, Jenny Higgins, Jon Meirion Jones and particularly Nigel Nicholas, Coast Path Project Officer for Ceredigion County Council. The author is grateful to Dic Jones for the Welsh poem , and to those responsible for the illustrations, whose names are to be found alongside most pictures.

Creu'r llwybr o Gwmtydu to Llangrannog
Creating the path from Cwmtydu to Llangrannog

© Janet Baxter

Eglwys y Groes Sanctaidd yn Mwnt
The Church of the Holy Cross at Mwnt

Rhagair
Foreword

Mae'n anrhydedd cael cais i ysgrifennu rhagair i'r llyfr hwn. Am dros chwe deg mlynedd yr wyf wedi treulio nifer o oriau dymunol bob haf ar Arfordir Ceredigion, yn enwedig yn y rhan honno i'r gogledd a'r de o Mwnt, ac i'r gogledd tuag at Aber-porth, Tre-saith, Penbryn, Llangrannog a Chwmtydu. Mae'n fan gwych i ymlacio, cael cyfle i atgyfnerthu a gwerthfawrogi amgylchedd bendigedig Cymru.

Mae Llwybr newydd yr Arfordir yn ymestyn 60 milltir o aber yr afon Teifi i'r Dyfi, gyda golygfeydd hyfryd i bob cyfeiriad - tuag at Ben-caer yn Sir Benfro, tuag at Eryri ac ar draws Bae Aberteifi ei hun. Ond yn ogystal â'r golygfeydd, mae'r bywyd môr yma yn wirioneddol hynod. Fy hoff brofiad o fywyd gwyllt yw dolffiniaid trwynbwl yn mwynhau eu hunain yn bwydo ar fecryll ychydig i ffwrdd o'r traeth ym Mwnt - ond gwelir yma hefyd forloi llwyd, llamhidyddion

I am really honoured to have been asked to provide the foreword for this book. For well over sixty years I have spent many pleasant hours every summer on the Ceredigion Coast, especially on that stretch north and south of Mwnt, and northwards towards Aber-porth, Tre-saith, Penbryn, Llangrannog and Cwmtydu. It is a wonderful place to relax, recharge the batteries and to appreciate the wonderful environment of Wales.

The new Coast Path runs for 60 miles from the Teifi Estuary to the Dyfi with wonderful views in all directions – towards Strumble Head in Pembrokeshire, towards Snowdonia and across Cardigan Bay itself. But as well as the views, the sea life here is truly remarkable. My favourite wildlife experience is of bottle-nose dolphins enjoying themselves feeding on mackerel just off the beach at Mwnt – but there are also grey seals,

harbwr yn ogystal ag amrediad eang o adar y môr a phlanhigion arfordirol.

Un o'r pethau wnaeth yr argraff fwyaf arnaf gyda'r Llwybr Arfordirol yw bod y gwaith wedi ei wneud gan wirfoddolwyr, rhai ohonynt yn eu 70au ac 80au! Partneriaeth gref rhwng y Cyngor Sir, ysgolion cymunedol lleol, gwirfoddolwyr a thirfeddianwyr lleol a wnaeth y Llwybr hwn yn bosibl - ac mae'n enghraifft wych o beth y gall partneriaeth leol ei gyflawni dros Gymru. Mae Llywodraeth Cynulliad Cymru wedi ymrwymo i greu Llwybr Arfordirol ar gyfer Cymru gyfan - ac mae Llwybr Ceredigion yn gam arwyddocaol arall tuag at hyn.

Mwynhewch y llyfr hwn a mwynhewch gerdded ar hyd Llwybr yr Arfordir – bydd y ddau rwy'n siur yn brofiadau cofiadwy.

Y Gwir Anrhydeddus

Rhodri Morgan

AC Prif Weindog Cymru

harbour porpoises as well as a vast array of seabirds and coastal plants to see here too.

One of the most impressive things for me though about the Coast Path is that the works involved were largely undertaken by volunteers, some in their 70s and 80s! A strong partnership of the County Council, local community councils, volunteers and local landowners has made this new Path possible – and serves as a fine example what local partnership action can achieve for Wales. The Welsh Assembly Government is committed to creating an All Wales Coast Path - and the Ceredigion Path provides another significant step towards that goal.

Enjoy reading this book and enjoy walking the Coast Path – both will, I am sure, be memorable experiences.

The Right Honourable

Rhodri Morgan

AM, First Minister for Wales.

Pen Dinas Lochtyn
Pen Dinas Lochtyn

Cyflwyniad
Introduction

Er bod y freuddwyd o sefydlu llwybr troed o gwmpas arfordir Cymru i gyd – o Gas-gwent i Queensferry – ymhell o gael ei gwireddu, mae darnau hir o lwybrau arfordir yn bodoli'n barod. Y mwyaf adnabyddus o blith y rhain wrth gwrs yw Llwybr Cenedlaethol Arfordir Penfro sy'n ymestyn am 186 o filltiroedd. Am ddegawdau, y llwybr hwn oedd yr unig lwybr troed pwrpasol a sylweddol a oedd i'w gael ar arfordir Cymru. Ar ddarnau bach o arfordir Ceredigion, roedd arwyddion wedi'u codi ers tro a oedd yn cyfeirio at lwybrau cyhoeddus fel llwybr arfordirol, ond enghreifftiau prin oedd y rhain a syrthiodd un darn i'r môr flynyddoedd yn ôl. Yn ddiweddar, fodd bynnag, mae Cyngor Sir Ceredigion wedi gallu mynd ati i weithio ar y prosiect o ddifrif ac ar ôl i lwybrau arfordir gael eu hagor ym Mhen Llŷn (84 milltir) ac Ynys Môn (125 milltir), mae llwybr arfordir Ceredigion – sy'n mesur

Although the dream of a footpath around the whole coast of Wales, from Chepstow to Queensferry, is still far from achievement, several long stretches already exist. The best-known is of course the 186-mile Pembrokeshire Coast National Trail, and for decades this was the only serious designated long-distance footpath on the Welsh coast. Small stretches of the Ceredigion coast had long had rights of way signed as a coast path, but they were isolated, and one stretch had fallen into the sea years ago. Recently, however, Ceredigion Council was able to begin serious work on the project, and with the Llŷn Peninsula (84 miles) and the island of Anglesey (125 miles) now having coastal paths, the virtual completion of the 60-mile Ceredigion path in 2008 is another major step towards the national vision.

Such long footpaths are not to be created overnight. Existing rights

50 milltir ac sydd ar fin cael ei gwblhau yn 2008 – yn cynrychioli cam mawr arall tuag at wireddu'r weledigaeth genedlaethol.

Ni ellir creu llwybrau troed mor faith dros nos. Mae hawliau tramwy sy'n bodoli'n barod yn fan cychwyn da oherwydd gellir ychwanegu hawliau caniataol atynt, ond mae rhwystrau'n codi'n aml. Rhwystr anorchfygol Ceredigion yw safle QinetiQ/Y Weinyddiaeth Amddiffyn ar bentir Aber-porth. Gwaetha'r modd, mae'n anymarferol meddwl am gael mynediad i safle o'r fath. Nid yw Parc Fferm Ynys Aberteifi wedi'i gynnwys yn rhan o'r llwybr chwaith, ond gellir talu i gael mynediad i'r ardal ddiddorol hon o glogwyni. Y polisi doeth y mae

of way are a good start; but there are often obstacles. Ceredigion's immovable obstacle is the QinetiQ / Ministry of Defence site on Aber-porth headland, where admission is alas inconceivable. The Cardigan Island Coastal Farm Park is likewise not included in the path, though paying access is possible to this fascinating cliff area. Ceredigion Council's wise policy has always been to gain landowners' full cooperation in creating new paths, providing new gates, stiles and appropriate fencing. One particular new stretch, south-west of Cwmtydu, needed an excavating machine to dig the path athwart a long and perilous

Cerddwyr ger Ynys Lochtyn
Walkers near Ynys Lochtyn

© Janet Baxter

Cyngor Ceredigion wedi'i ddilyn bob amser yw ennill cydweithrediad llawn y tirfeddianwyr gan ddarparu gatiau newydd, camfeydd a ffensys priodol. Mewn un darn newydd o'r llwybr i'r de-orllewin o Gwmtudu, bu'n rhaid defnyddio peiriant cloddio i geibio'r llwybr ar draws llethr hir a pheryglus. Mae'r Cyngor wedi bod yn ffodus ei fod wedi gallu galw ar nifer o wirfoddolwyr o Gymdeithas y Cerddwyr a Gwirfoddolwyr Cadwraeth Aberystwyth, ac mae'r rhain wedi gweithio'n galed ac yn ddi-dâl ers rhai blynyddoedd – a hynny'n aml mewn mannau digon lletchwith – i godi gatiau, arwyddbyst a chamfeydd yn ogystal â chlirio llystyfiant ystyfnig. Mae rhai o'r costau wedi'u talu gan gyllid o gronfeydd Ewropeaidd, rhai gan Gyngor Cefn Gwlad Cymru a rhai gan adnoddau'r sir ei hun.

Mae Llwybr Arfordir Ceredigion yn cynnig chwe deg milltir o lwybrau troed rhwng aberoedd Teifi a Dyfi, ac yn ychwaneg, ceir llwybrau niferus sy'n troi i mewn o'r môr ac yn ail-gysylltu wedyn â'r prif lwybr. Mae dwy filltir ar hugain o'r llwybr, mewn pedair rhan, wedi eu dynodi'n Arfordir

slope. The Council has been fortunate in being able to call on a number of unpaid volunteers from the Ramblers and Aberystwyth Conservation Volunteers, who have laboured for some years, often in awkward places, to install gates, signposts and stiles as well as clearing stubborn vegetation. Some of the expense has been met by moneys from European funds, some from the Countryside Council for Wales, some from the County's own resources.

The Ceredigion Coast Path offers some sixty miles of footpaths linking the Teifi estuary to that of the Dyfi – but it does more, it has numerous loop paths leading inland but linking back to the main route. Four sections of the walk, totalling twenty-two miles, have been designated as Ceredigion's Heritage Coast. The scenic variety is as good as any other stretch of the splendid Welsh coast: there are mighty crags of rock and weird cliffs of clay and glacial rubble; there are waterfalls and rock-pools, sand beaches and dunes, fish-traps, marshland, picturesque villages, three historic towns and wonderful views

Etifeddiaeth Ceredigion. Mae'r amrywiaeth golygfeydd gystal ag unman ar arfordir ysblennydd Cymru: ceir creigiau anferth a chlogwyni rhyfedd o glai a cherrig o gyfnod Oes y Rhew; mae rhaeadrau dwr a phyllau yn y creigiau, traethau a thwyni tywod, goredi-dal-pysgod, corsdir, pentrefi tlws, tair tref hanesyddol a golygfeydd godidog o gwmpas Bae Ceredigion, o Benfro hyd mynyddoedd Eryri, penrhyn Llŷn ac Ynys Enlli. Dylai pob ymwelydd sy'n caru'r arfordir hyn fanteisio ar y teithiau cychod a geir o Gwbert, Cei Newydd neu Aberystwyth. Mae

around Cardigan Bay, from Strumble Head in Pembrokeshire to the mountains of Snowdonia, the Llŷn Peninsula and Bardsey Island. Every visitor who falls in love with this coast should take one of the summer boat-rides offered at New Quay or Aberystwyth; dolphins, seals and interesting birds are on regular view, as are the sea-caves and natural arches and tunnels which are invisible from the cliffs above.

The coast from Cemaes Head in Pembrokeshire as far as Aber-arth has been designated as a

I'r de o Sarn Cynfelyn
South from Sarn Cynfelyn

dolffinod, morloi ac adar anghyffredin i'w gweld yn aml; felly hefyd yr ogofeydd a bwáu naturiol nad oes modd eu gweld o'r clogwyni uchod.

Mae'r arfordir o Benrhyn Cemaes yn Sir Benfro hyd at Aber-arth wedi ei ddynodi'n Ardal Cadwraeth Arbennig; ceir manylion pellach ar y safle-we *www.cardiganbaysac.org.uk/* . Mae'r statws yma'n rhoi amddiffyniad cyfreithiol i'r basgreigiau, banciau tywod ac ogofeydd a geir yn y Bae. Amddiffynir hefyd y mamaliaid morol a ddisgrifir isod; felly hefyd y llyswennod pendoll – pysgod

Special Area of Conservation; more details can be found on the website *www.cardiganbaysac.org.uk/.* The designation gives legal protection to the reef, sandbank and sea-cave habitats found in the bay. The sea mammals described below are protected, as are the lampreys, primitive jawless fish which feed in the area, migrating up the rivers to breed.

The most spectacular wildlife features of the Ceredigion coast are the marine mammals. Fin, humpback and minke whales were seen in 2005, but this was

Llwybr yr arfordir
The coast path

© Janet Baxter

cyntefig heb eneuau sy'n bwydo yn yr ardal ac yn symud i'r yr afonydd i epilio.

Y mwyaf trawiadol o holl greaduriaid arfordir Ceredigion yw'r mamaliaid morol. Yn 2005 gwelwyd tri gwahanol fath o forfilod – ond blwyddyn eithriadol oedd honno. Y mamaliaid mwyaf sy'n bridio yma yw'r dolffin trwyn potel a'r morlo llwyd. Mae dolffinod yn gynefin yn y Bae, yn tyfu hyd at 3.5 metr o hyd, a gall fod cymaint â 130 ohonynt. Mae'n rhwyddach eu gweld yn yn ddiweddar yn yr haf ac yn yr hydref, naill ai o'r lan neu o gychod. Maent yn anifeiliaid cymdeithasol, yn nofio mewn grwpiau, weithiau'n sboncio i'r awyr ac yn taro eu cynffonau ar y dŵr. O'r lan y lleoedd gorau i'w gweld yw Mwnt, lle ceir llamhidyddion hefyd, penrhyn Cei Newydd a thraeth y De yn Aberystwyth. Bu llawer o astudio arnynt yn ddiweddar, a gellir darllen adroddiadau ar-lein ar y safle-we a enwyd yn y paragraff blaenorol.

Ceir nifer o Safleoedd o Ddiddordeb Gwyddonol Arbennig ar hyd y llwybr yn ogystal â gwarchodfeydd natur sy'n eiddo i

© Janet Baxter

Ceir arwyddion ar hyd y llwybr
The path is signed and way-marked

exceptional. The two largest breeding mammals are the bottlenose dolphin and the grey seal. Cardigan Bay holds a resident population of dolphins, which grow up to 4 metres, and may number as many as 130. They are best seen in late summer and autumn, either from the shore or from boats. They are social animals, usually swimming in groups, sometimes leaping into the air and smacking their tails on the water. From the shore the best viewpoints are probably Mwnt where harbour porpoises also occur, New Quay head and Aberystwyth's south beach. They have been much studied in recent years, and reports can be read on-line at the Cardigan Bay SAC website. Nevertheless much remains to be understood about these cetaceans, and the rate at which

Ymddiriedolaeth Bywyd Gwyllt De a Gorllewin Cymru; gwarchodfeydd natur lleol; Gwarchodfa Natur Genedlaethol Dyfi sy'n cynnwys dwy fil hectar; darnau o arfordir sy'n eiddo i'r Ymddiriedolaeth Genedlaethol; a henebion rhestredig. Ar hyd y llwybr cewch weld ystod eang o fywyd gwyllt y tir a'r môr ac fe'i disgrifir yn fanylach yng nghorff y testun. O gael y cyfle, mae blodau, coed, ffyngau, pryfed, cennau a mwsoglau i gyd yn ffynnu, ac mae'r Bae yn dal i fod yn amgylchedd morol cyfoethog er gwaetha'r ffaith

they fall prey to fishing nets and to marine disturbance. The little-known Risso's dolphin occurs off Bardsey and may penetrate into the Bay, as does the smaller common dolphin.

There are many Sites of Special Scientific Interest along the path, as well as nature reserves belonging to the South and West Wales Wildlife Trust, local nature reserves, the two-thousand hectare Dyfi National Nature Reserve, stretches of coast owned by the National Trust and scheduled Ancient Monuments.

Penrhyn Aber-porth
Aber-porth Head

© Gerald Morgan

bod gorbysgota wedi bod yn broblem ers tro. Ceir ystod eang o gynefinoedd rhynglanwol ar hyd arfordir Ceredigion rhwng y clogwyni a'r marc distyll. Ceir pyllau glan môr da wrth droed y clogwyni yn Llangrannog, ac mae pyllau mwy gwastad i'w gweld mewn sawl man. Mae'r traethau tywod gorau i'w gweld rhwng Ynys-las a'r Borth, yng Nghei Bach ac mewn sawl cildraeth i'r de o Geinewydd.

Un o'r problemau parhaol sy'n gysylltiedig â'r llwybr yw'r dasg o'i gynnal a'i gadw yn wyneb prosesau erydu. Yn wir, daeareg y llwybr – sy'n golygu bod erydu yn anochel – yw ei brif atyniad. Cafodd y ffurfiannau cerrig sy'n ffurfio ein harfordir ac sy'n dyddio'n ôl pedwar can miliwn o flynyddoedd eu dyddodi ar wely dwfn môr sydd wedi hen ddiflannu. Caiff y ffurfiannau cerrig hyn, y traethau graeanog enfawr, yr ardaloedd godidog o dywod a nifer o ffenomenau a grëwyd yn ystod Oesoedd yr Iâ (yn enwedig y clogwyni clai hynod yng Ngheinewydd a mannau eraill) eu disgrifio isod fel y bo'n briodol, a cheir disgrifiadau manwl mewn man arall.

The path offers a wide range of Welsh land and marine wildlife described in more detail in the body of the text. Flowers, trees, fungi, insects, lichens, mosses all flourish when given the chance, while the Bay, though long overfished, is still a rich marine environment. There is a wide range of intertidal habitats along the Ceredigion coast between the cliffs and low-water mark. There are fine cliff-foot rockpools at Llangrannog, and more level pools are exposed at many points. The best sands are at Ynys-las to Borth, at Cei Bach and at numerous coves south of New Quay.

One of the permanent problems associated with the path is maintenance in the face of erosion. Indeed, the geology of the path which makes that

Cwtiad y traeth a chwtiad torchog
Turnstone and ringed plover

Er na cheir harbwr dwfn ar arfordir Ceredigion ac er bod yr arfordir yn agored i brifwyntoedd o'r gorllewin a oedd yn golygu bod mentro allan i'r môr yn beryglus, datblygodd trefi a phentrefi morwrol y sir ddiwylliant cyfoethog o adeiladu llongau, bod yn berchen ar longau a gwasanaethu yn y Llynges Fasnachol a'r Llynges Frenhinol. Arferai dynion o blwyfi arfordirol fynd i'r môr er mwyn dianc rhag gwaith caled y fferm neu ddiflastod y gweithfeydd plwm a sinc. Roedd llongau a oedd yn eiddo i berchnogion yn y sir ac a gafodd eu hadeiladu yn y sir yn aml iawn yn hwylio cefnforoedd y

erosion unavoidable is also its central glory. The four-hundred-million year old formations of rocks that make up our coastline were laid down on the deep bed of a long-vanished ocean. These, and huge shingle beaches, splendid stretches of sand, and numerous phenomena created by the Ice Ages, especially the remarkable clay cliffs at New Quay and other spots, are described below as appropriate, with a detailed description elsewhere.

Although Ceredigion's coast lacks a deep-water harbour, and is exposed to prevailing westerly

Dolffiniaid trwyn potel
Bottlenose Dolphins

© Janet Baxter

© Janet Baxter

Gylfinirod — Curlews

byd ac ymhen amser, cawsant eu dryllio ym mhobman o Rangoon a De Affrica i'r Fever Coast yn Ne America. Y brif fasnach yn lleol oedd mewnforio glo a chalchfaen. Does ond angen bwrw golwg drwy fynwentydd eglwysi arfordirol i weld yn syth faint o Gardis a fu farw ar y môr.

Mae economi'r sir yn dal i ddibynnu ar amaethyddiaeth i raddau helaeth, ond daeth yn dipyn mwy amrywiol dros y ddau gan mlynedd diwethaf. Heddiw, mae dibyniaeth y sir ar dwristiaeth i'w gweld yn aml ar lwybr yr arfordir ar ffurf y parciau carafanau a phoblogrwydd teithiau cychod yn Aberystwyth, Aberaeron a Cheinewydd. Mae rôl hanfodol addysg i'w gweld yn

winds which made putting out to sea dangerous, the county's maritime towns and villages developed a rich culture of shipbuilding, shipowning and service in the Merchant and Royal Navy. Men from the coastal parishes took to the sea as an alternative to the drudgery of farm labour or the gloom of lead and zinc-mining. Ships owned and often built in the county sailed the world's oceans and, in time, were wrecked everywhere from Rangoon and South Africa to the Fever Coast of South America. The principal local trade was the importing of coal and limestone. A glance through coastal church cemeteries will quickly demonstrate how many Cardis died at sea.

fwyaf amlwg yn y prifysgolion yn Aberystwyth a Llambed, ac mae Llyfrgell Genedlaethol Cymru yn Aberystwyth yn rhoi statws cenedlaethol i'r dref honno. Mae gwaith y Weinyddiaeth Amddiffyn yn Aber-porth yn gwneud cyfraniad pwysig i economi Ceredigion hefyd.

Ffeindio'ch ffordd

Mae rhai rhannau o lwybr arfordir Ceredigion yn hawdd i'w cerdded. Ni fydd angen map nac esgidiau arbennig arnoch i gerdded ar hyd y promenâd yn Aberystwyth; yn wir, os dilynwch yr arwyddion, efallai y byddwch

The county's economy still relies to a considerable extent on agriculture, but has greatly diversified in the past two hundred years. Today the county's dependence on tourism is frequently evident on the coastal path, in the caravan parks and in the popularity of boating at Aberystwyth, Aberaeron and New Quay. The vital rôle of education is most obvious in the universities at Aberystwyth and Lampeter, with the National Library of Wales giving the former town national status. The Ministry of Defence

Twyni tywod, Ynys-las
Sand dunes at Ynys-las

© Janet Baxter

yn gallu cerdded ar hyd unrhyw ddarn o'r llwybr heb fap o gwbl, ond annoeth fyddai gwneud hynny. Mae esgidiau cerdded cryf yn angenrheidiol ar gyfer y llwybr i gyd bron. Er bod gweithwyr y cyngor wedi gwneud pob ymdrech i sicrhau bod y llwybr yn gadarn dan draed, mae glaw trwm yn gallu creu mannau mwdlyd.

Mae arwyddbyst y llwybr yn dwyn logo wedi ei seilio ar amlinelliad Ynys Lochtyn, gyda'r geiriau *Llwybr Arfordir Ceredigion* ar y mwyafrif ohonynt. Dangosir y llwybr ar y mapiau a geir yn y gyfrol hon. Os bydd damwain, dylech ffonio Gwylwyr y Glannau

involvement at Aber-porth is also an important contributor to Ceredigion's economy.

Finding Your Way

Some sections of the Ceredigion coastal path are easily negotiated. You won't need a map or walking boots for the promenade at Aberystwyth; indeed if you follow the signs you might manage any stretch of the path without a map, but it's not wise. The logo on the coast path signs is based on the outline of Ynys Lochtyn; you will see it on wooden waymarks and stuck to aluminium road signs. Most bear the words 'Coast Path'. The

Machlud haul, Borth
Sunset, Borth

ar 999. Mae amserlenni llanw'r Cyngor yn gallu bod yn ddefnyddiol ar gyfer rhai rhannau o'r llwybr.

Mae gwasanaeth bws ar gael yn Aberteifi, Aber-porth, Llangrannog, Cei Newydd, Aberaeron a phob pentref i'r gogledd hyd at Aberystwyth yn ogystal â Chlarach, y Borth a throad Ynys-las.

Wrth i chi geisio gwneud eich ffordd ar hyd y llwybr, fe fyddwch yn dod ar draws enwau lleoedd hyfryd, ond heriol, Cymru. Os bydd yn rhaid i chi ofyn y ffordd, dyma'r rheolau syml i'w dilyn. Os yw enw'n cynnwys cysylltnod, rhoddir y pwyslais ar y sill olaf, er enghraifft, Aber-PORTH. Os nad oes cysylltnod, rhoddir y pwyslais bron bob amser ar y sillaf olaf ond un, er enghraifft, LlanGRANnog, AberAERon. Os yw'r enw'n cynnwys y llythyren Gymraeg enwog 'Ll', ynganwch yr enw gan ddefnyddio 'L' gyffredin a bydd pawb yn eich deall. Mae'r cyfuniad 'ch' yn creu sain yddfol sy'n debyg i 'K' ac sy'n debyg i'r sain a geir mewn Almaeneg a Sgoteg. Mae gormod o enwau ar gael ar

route is indicated in the maps throughout this book. Boots or stout shoes are a must for virtually the whole route. It's always sensible to carry a windproof/waterproof jacket and a supply of liquid. Although the County Council's coast and countryside rangers have made every effort to ensure the path is sound underfoot, heavy rain can produce muddy patches. Keep to the path; remember that cliffs kill. Pay special attention where you can see that landslips happen. In case of accident phone the Coastguard on 999. The Council's tide-table is useful for some stretches.

A bus service is available in Cardigan, Aberporth, Llangrannog, New Quay, Aberaeron and at every village to the north as far as Aberystwyth as well as Clarach, Borth and the turn off to Ynyslas. The council's tide-table is useful for some stretches.

Finding your way may bring you up against Wales's splendid but challenging place-names. If you have to ask your way these are the simple rules. If a name is hyphenated, then the emphasis

gyfer traethau, creigiau, ogofâu, nentydd a dyffrynnoedd i'w cyfieithu i gyd yn y testun. Fodd bynnag, gallwn egluro un enw yn syth, sef *Ceredigion* - enw'r sir. Efallai eich bod yn meddwl mai enw newydd ydyw gan fod y sir yn arfer cael ei galw'n Sir Aberteifi. Fodd bynnag, cyn iddi ddod yn sir, dyma oedd teyrnas hynafol Ceredigion a thir Ceredig, sef cymeriad chwedlonol o'r bumed ganrif. Mae'r enw Saesneg ar Aberteifi, sef *Cardigan*, yn deillio o'r enw hynafol Ceredigion.

Clustog Fair a Gludlys Arfor
Thrift and Sea Campion

© Janet Baxter

is on the last syllable, thus Aber-PORTH. If there is no hyphen, the emphasis is almost always on the last syllable but one, thus LlanGRANnog, AberAERon. For the famous Welsh double-el, just say -L-, and you will be understood. The combination -ch- is a guttural -K- sound of the kind used in German and Scots. There are simply too many names for beaches, rocks, caves, streams and valleys to be able to offer translations of every name in the text. Let's explain one name straightaway, the county's name, *Ceredigion*. You may think it's a new name, since this county was known until recently as Cardiganshire, but before it was a county it was the ancient kingdom of Ceredigion, the land of Ceredig, a legendary figure of the fifth century. The town name *Cardigan* was borrowed from it.

Pioden Fôr
Oystercatcher

© Janet Baxter

Llwybr Arfordir Ceredigion ar edrychiad

The Ceredigion Coast Path at a glance

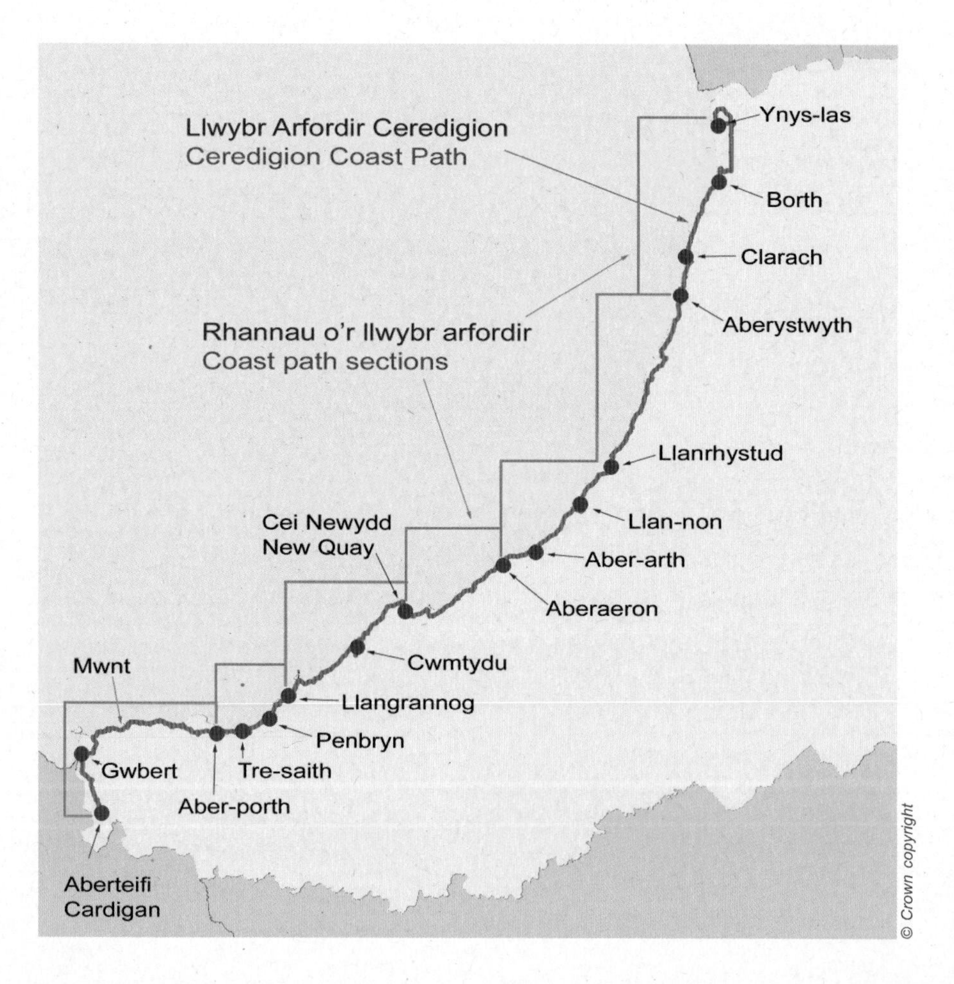

Rhan	Milltir Miles	Km	Section
Aberteifi i Aber-porth			**Cardigan to Aber-porth**
Aberteifi i Gwbert	3.2	5.1	Cardigan to Gwbert
Gwbert i Mwnt	3.2	5.1	Gwbert to Mwnt
Mwnt i Aber-porth	5.3	8.5	Mwnt to Aber-porth
Aber-porth i Langrannog			**Aber-porth to Llangrannog**
Aber-porth i Dresaith	1.5	2.5	Aberporth to Tresaith
Tresaith i Benbryn	1.6	2.5	Tresaith to Penbryn
Penbryn i Langrannog	1.7	2.8	Penbryn to Llangrannog
Llangrannog i Gei Newydd			**Llangrannog to New Quay**
Llangrannog i Gwmtydu	5.5	8.8	Llangrannog to Cwmtydu
Cwmtydu i Gei Newydd	3.8	6.1	Cwmtydu to New Quay
Cei Newydd i Aberaeron			**New Quay to Aberaeron**
Cei Newydd i Aberaeron	6.5	10.5	New Quay to Aberaeron
Aberaeron i Lanrhystud			**Aberaeron to Llanrhystud**
Aberaeron i Lan-non	4.8	7.7	Aberaeron to Llan-non
Llan-non i Lanrhystud	2.7	4.3	Llan-non to Llanrhystud
Llanrhystud i Aberystwyth			**Llanrhystud to Aberystwyth**
Llanrhystud i Dan-y-bwlch	9.2	14.7	Llanrhystud to Aberystwyth
Tan-y-bwlch i Aberystwyth	1.4	2.3	Tan-y-bwlch to Aberystwyth
Aberystwyth i Ynys-las			**Abersytwyth to Ynys-las**
Aberystwyth i Glarach	1.5	2.4	Aberystwyth to Clarach
Clarach i Borth	3.9	6.2	Clarach to Borth
Borth i Ynys-las	4.5	7.2	Borth to Ynys-las
Swm	**60.3**	**96.4**	**Total**

Y Rhaeadr, Tre-saith
The Waterfall, Tre-saith

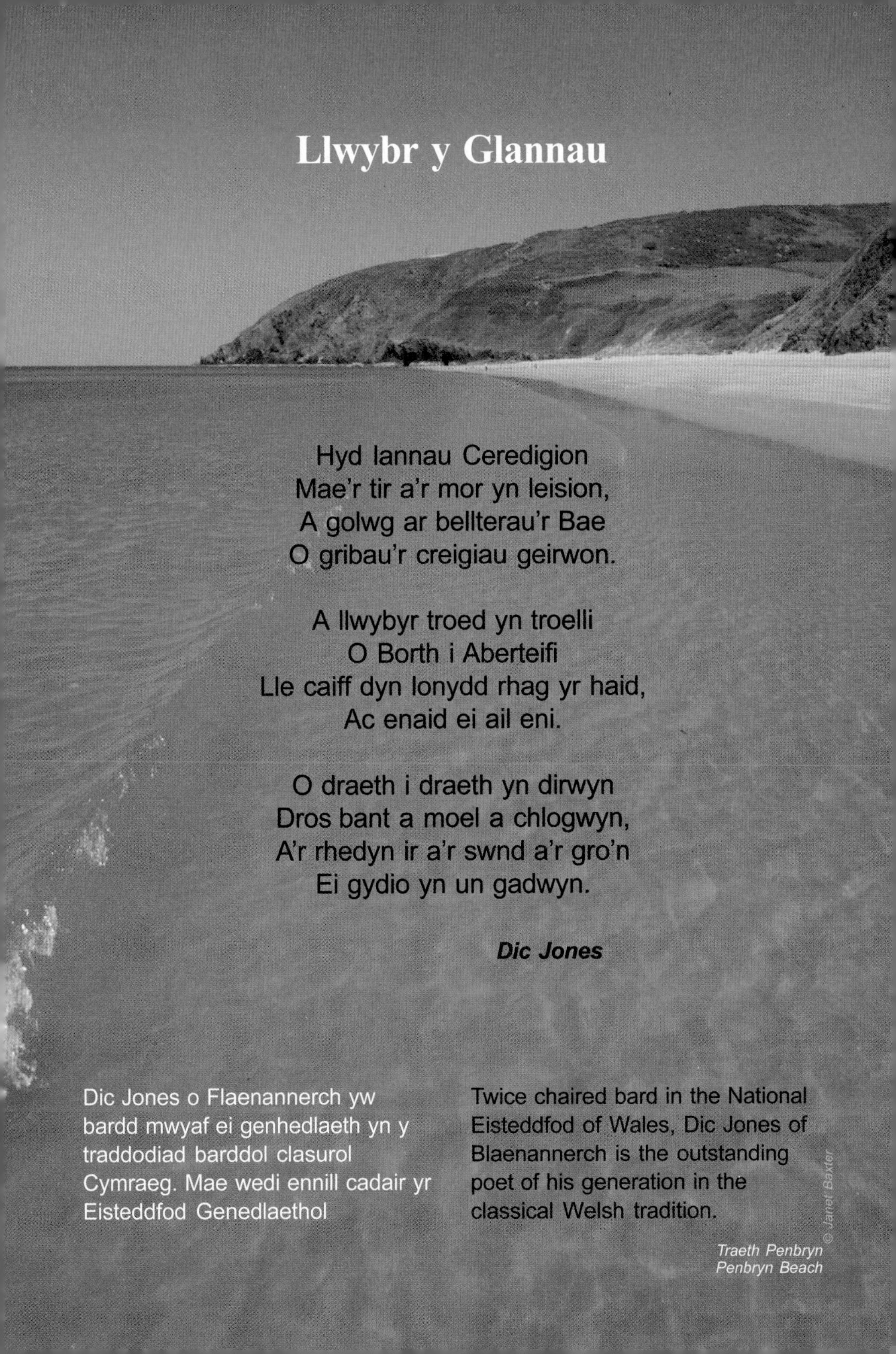

Llwybr y Glannau

Hyd lannau Ceredigion
Mae'r tir a'r mor yn leision,
A golwg ar bellterau'r Bae
O gribau'r creigiau geirwon.

A llwybyr troed yn troelli
O Borth i Aberteifi
Lle caiff dyn lonydd rhag yr haid,
Ac enaid ei ail eni.

O draeth i draeth yn dirwyn
Dros bant a moel a chlogwyn,
A'r rhedyn ir a'r swnd a'r gro'n
Ei gydio yn un gadwyn.

Dic Jones

Dic Jones o Flaenannerch yw bardd mwyaf ei genhedlaeth yn y traddodiad barddol clasurol Cymraeg. Mae wedi ennill cadair yr Eisteddfod Genedlaethol

Twice chaired bard in the National Eisteddfod of Wales, Dic Jones of Blaenannerch is the outstanding poet of his generation in the classical Welsh tradition.

Traeth Penbryn
Penbryn Beach

Yr arfordir o Mwnt
The coast from Mwnt

Aberteifi i Aber-porth
Cardigan to Aber-porth

SN 177458 – 258516
11.7 m / 18.7 km

Aberteifi. Man cychwyn swyddogol Llwybr Arfordir Ceredigion yw'r dyfrgi efydd ar lan ogleddol y Teifi, sy'n agos i hen bont y dref ac yn sefyll yng nghysgod adfeilion y castell. Fodd bynnag, cyn ei throi hi tua'r gorllewin, croeswch y bont i Ganolfan Dreftadaeth Aberteifi ar y Lanfa Fasnachol a oedd

Cardigan. The official starting point for the Ceredigion Coastal Path is the bronze otter on the north side of the river Teifi, close to the old town bridge and in the shadow of the castle ruins. However, before starting westwards, cross the bridge to the Cardigan Heritage Centre,

Cei'r Tywysog Siarl, Aberteifi
Prince Charles Quay, Cardigan

© Janet Baxter

unwaith yn warws llongau ond sydd bellach yn cynnwys arddangosfa dda. Rydych yn Bridgend, sef ardal fasnachol un o borthladdoedd prysuraf Cymru ar un adeg. Arferai llongau hwylio ac agerlongau mawr angori yn y cei hwn hyd nes iddo gael ei ddinistrio gan ddau rym. Y cyntaf oedd dirywiad y diwydiant morio arfordirol yn dilyn dyfodiad y rheilffyrdd, a'r llall oedd yr arfer o ollwng rwbel i'r Teifi o'r chwareli llechi i fyny'r afon. Wrth i'r rwbel hwn gael ei gario i lawr yr afon gan y llif, gwelwyd dyfnder yr afon yn lleihau'n sylweddol.

I fyny'r afon y tu hwnt i'r bont, ar y lan ogleddol, mae eglwys blwyf hynafol y Santes Fair a oedd unwaith yn rhan o briordy Benedictaidd, a gerllaw mae'r ysbyty lleol sy'n sefyll ar safle plasty'r Priordy. Roedd y plasty hwn yn gartref i'r teulu Philipps yn ystod yr ail ganrif ar bymtheg, a phriododd un o ddynion y teulu â'r bardd dawnus Katherine Philipps a oedd yn adnabyddus fel y Matchless Orinda. Ailadeiladwyd y plasty gan yr enwog John Nash, ac mae peth o adeiledd y plasty hwn i'w weld o hyd. Ymhellach i'r dwyrain, ar lan ddeheuol yr afon, mae Canolfan

once a shipping warehouse on the Mercantile Wharf, where there is a good exhibition. You are in Bridgend, the commercial suburb of what was one of the busiest ports in Wales. Large sailing ships and steamships tied up at this quay, until destroyed by two forces. One was the decline of coastal shipping brought on by arrival of the railways, the other was the dumping in the Teifi of slate rubble from the quarries upriver. As it was brought down by the current, the river level was drastically reduced.

Upstream beyond the bridge, on the north bank, is the ancient parish church of St Mary's, once part of a Benedictine priory, and beyond that the local hospital, on the site of the Priory mansion which in the 17th century housed the Philipps family, one of whom married the fine poet Katherine Philipps, known as the Matchless Orinda. The mansion was rebuilt by the great John Nash, a little of whose fabric can still be identified. Further east, on the south bank, is the excellent Welsh Wildlife Centre, best reached by footpath along the disused railway or by car.

Bywyd Gwyllt ardderchog Aberteifi, a'r ffordd orau o gyrraedd y ganolfan yw trwy ddilyn y llwybr troed ar hyd yr hen reilffordd nad yw'n cael ei defnyddio mwyach neu mewn car.

Ym 1844, roedd chwech o adeiladwyr llongau yn gweithio yn Aberteifi, ac roedd gwneuthurwyr blociau, rhaffau a hwyliau ar gael ar ddwy lan yr afon yn ogystal â chwmni yswiriant llongau a swyddfeydd cwmnïau llongau. Aberteifi oedd porthladd cofrestru cannoedd o longau a adeiladwyd yn y dref neu yn y cilfachau

In 1844 there were six shipwrights working in Cardigan, and on either bank there were block, rope and sail makers, as well as a shipping insurance company and shipping company offices. Cardigan was a port of registration for hundreds of vessels built here or in the creeks between Newport (Pemb.) and New Quay, with a Customs House in St Mary Street, recently restored. At least 140 vessels were built at Cardigan alone, and many more were registered and

Canolfan Treftadaeth Aberteifi
Cardigan Heritage Centre

© Janet Baxter

Pont Aberteifi a'r castell
Cardigan bridge and castle

rhwng Trefdraeth a Cheinewydd, ac roedd Tollty ar gael yn Stryd y Santes Fair sydd wedi'i adnewyddu'n ddiweddar. Adeiladwyd o leiaf 140 o longau yn Aberteifi'n unig, ac roedd llawer mwy o longau wedi'u cofrestru yn y dref ac yn eiddo i berchnogion yn y dref - 255 o longau ym 1796 a 291 o longau ym 1830. Dywedwyd mai masnach y porthladd oedd mewnforio coed a chalch ar gyfer y saith odyn galch ac allforio grawn, menyn, lledr, rhisgl derw i danerdai yn Iwerddon, a llechi o chwareli Cilgerran oedd ychydig i fyny'r afon. Yn ddiweddarach, mewnforiwyd glo o Dde Cymru ac india-corn o'r Ariannin i fwydo gwartheg. O ganlyniad i ddirywiad llongau hwylio, dyfodiad y rheilffyrdd a'r ffaith ei

owned here – 255 in 1796 and 291 in 1830. The port's trade was described as importing timber, and lime for the seven lime-kilns, and exporting corn, butter, leather, oak-bark to Ireland's tanneries and slates from the Cilgerran quarries upriver. In later years maize was imported from Argentina to feed cattle and coal from South Wales. With the decline of sailing vessels, the approach of the railway and the impossibility of building iron steamships, shipowners had either to transfer their business to the major ports of South Wales or attempt steamship ownership themselves. Several did, and into the 1930s steam and motor-vessels could

bod yn amhosibl adeiladu agerlongau haearn, bu'n rhaid i berchnogion llongau symud eu busnes i brif borthladdoedd De Cymru neu roi cynnig ar brynu eu hagerlongau eu hunain. Penderfynodd nifer ohonynt fentro i fyd yr agerlongau, ac roedd agerlongau a llongau modur i'w gweld weithiau yn aber y Teifi hyd yn oed yn ystod y 1930au. Bu'r olaf o gwmnïau llongau llwyddiannus Aberteifi, a oedd yn dwyn yr enw uchelgeisiol *British Isles Coasters Ltd*, yn masnachu o 1928 i 1944.

Ar ben gogleddol y bont mae rhagfuriau enfawr Castell Aberteifi ac yn codi uwchlaw'r rhain mae amddiffynfa goncrid o gyfnod yr Ail Ryfel Byd. Adeiladwyd y castell cyntaf ar y safle hwn gan y Normaniaid ym 1110, ond fe'i meddiannwyd ac ailadeiladwyd castell cerrig ar yr un safle gan Rhys ap Gruffudd ym 1171. Cynhaliodd Rhys ŵyl gystadleuol o gerddoriaeth a barddoniaeth yn y castell ym 1176, a honnwyd yn ddiweddarach mai'r ŵyl hon oedd yr eisteddfod gyntaf. Mae'n debyg bod Rhys wedi dod dan ddylanwad patrymau o

sometimes be seen in the Teifi estuary even into the 1930s. The last successful Cardigan shipping company, ambitiously named British Isles Coasters Ltd, traded from 1928 till 1944.

At the north end of the bridge are the huge ramparts of Cardigan castle, surmounted by a World War II concrete pillbox. The first castle here was built by the Normans in 1110; it was seized and rebuilt in stone by Rhys ap Gruffudd in 1171. Here Rhys held a competitive festival of music and poetry in 1176, later to be claimed as the first eisteddfod. He was probably influenced by patterns of Provençal culture of which he could have heard from his friend Henry II's queen, Eleanor of Aquitaine. Rhys was a powerful figure in 12th century Wales, with a caustic wit and a reputation of being equally devastating on the battlefield or in the bedchamber. He it was who in 1176 welcomed to Ceredigion Baldwin archbishop of Canterbury and the attendant Gerald of Wales, author of what are still the best two books about the country.

ddiwylliant Provençal y gallai fod wedi clywed amdanynt gan wraig ei ffrind Harri II, sef y Frenhines Eleanor o Aquitaine. Roedd Rhys yn ffigwr pwerus yng Nghymru yn y ddeuddegfed ganrif, ac roedd ganddo synnwyr digrifwch brathog a'r enw o fod yr un mor ddeifiol ar faes y gad ag yn y gwely. Ym 1176, roedd Rhys wedi croesawu Baldwin, Archesgob Caergaint, i Geredigion ynghyd â'i gydymaith Gerallt Gymro, sef awdur y ddau lyfr sy'n dal i gael eu hystyried ymhlith y llyfrau gorau a ysgrifennwyd am y wlad.

Mae castell Aberteifi wedi newid dwylo sawl gwaith rhwng y Cymry a'r Saeson, ac aeth y castell â'i ben iddo cynddrwg ar ôl gwarchae'r Rhyfel Cartref ym 1646 hyd nes mai ychydig iawn o'r adeiladwaith gwreiddiol sydd ar ôl. Er hynny, defnyddiwyd rhan o'r castell fel carchar y sir am ganrifoedd. Adeiladwyd plasty o'r enw Castle Green yng nghanol yr adfeilion yn gynnar yn y bedwaredd ganrif ar bymtheg. Ar ôl i'r plasty gael ei esgeuluso am gyfnod hir gan berchnogion preifat, roedd Cyngor Ceredigion wedi gallu prynu'r safle. Mae'r plasty a'r adfeilion yn cael eu

Cardigan castle changed hands several times between Welsh and English, and fell into such decay after the Civil War siege of 1646 that little of the fabric remains, though part of it was used as the county prison for centuries. A mansion, Castle Green, was built early in the 19th century in the midst of the ruins. After long neglect by private owners, Ceredigion Council was able to buy the site. The house and ruins are being explored by archaeologists at the time of writing.

You can explore the town by walking up Bridge Street past some fine houses on the left and reaching the 18th century courthouse, now a large shop. Follow High Street along to the Guildhall, which once housed Cardigan Grammar School, originally a Cromwellian foundation; it now houses offices, community rooms and a small market. To reach the excellent Mwldan Arts Centre (where is housed the Tourist Information Centre), turn left just before the Guildhall and then bear right.

The Path. It is at last time to start walking the Coastal Path from

harchwilio gan archeolegwyr adeg ysgrifennu'r llyfr hwn.

Gallwch archwilio'r dref drwy gerdded i fyny Stryd y Bont gan basio nifer o dai urddasol ar y chwith cyn cyrraedd adeilad y llys a godwyd yn y ddeunawfed ganrif ac sydd bellach yn siop fawr. Dilynwch y Stryd Fawr hyd nes i chi gyrraedd Neuadd y Dref a fu unwaith yn gartref i Ysgol Ramadeg Aberteifi. Adeilad o gyfnod Cromwell oedd Neuadd y Dref yn wreiddiol ac erbyn hyn, mae'n cynnwys swyddfeydd, ystafelloedd cymunedol a

the bronze otter. Bear up the hill past the attractive houses to Quay Street and turn down towards the Somerfield car-park. Here by the outflow of the Mwldan stream is the Netpool, the main shipbuilding centre, of which little trace remains. Follow signs from the far end of the car-park uphill to the bandstand. Bear right, keeping the cemetery on your left and then the entrance to Mwldan wood on your right; at the junction keep left past the Maes Radley playing fields and keep along the road, which is a dead-end and carries

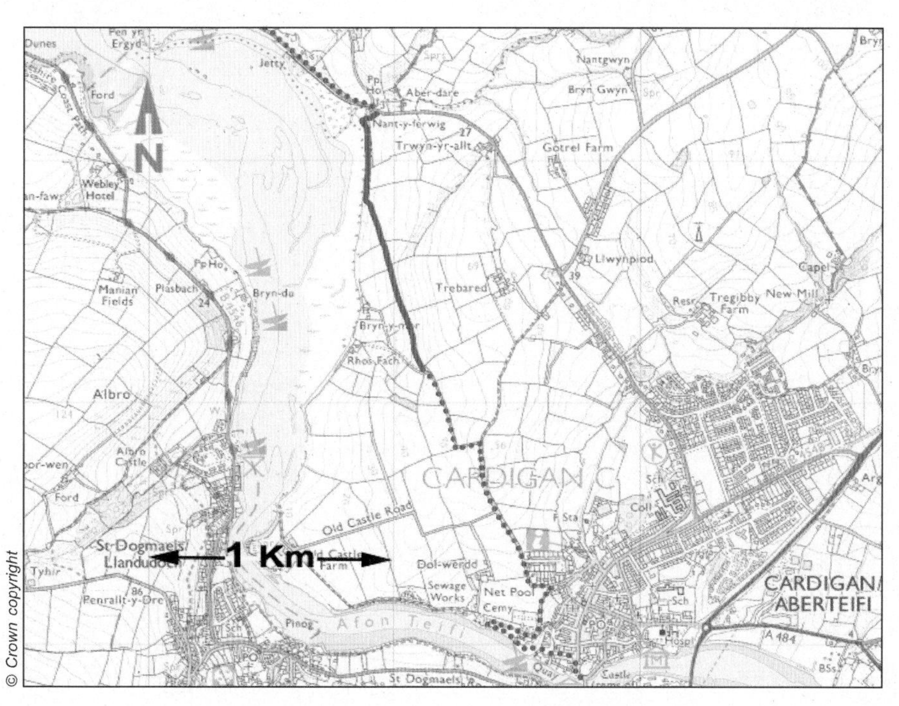

marchnad fach. I gyrraedd Canolfan Gelfyddydau ardderchog y Mwldan (sy'n cynnwys y Ganolfan Groeso), trowch i'r chwith yn union cyn Neuadd y Dref ac yna cadwch i'r dde.

Y llwybr. O'r diwedd, mae'n bryd dechrau cerdded llwybr yr arfordir gan gychwyn ger y dyfrgi efydd. Cerddwch i fyny'r rhiw heibio i'r tai deniadol i gyfeiriad Stryd y Cei, a throwch i lawr tuag at faes parcio Somerfield. Yma, yn y fan lle mae afon Mwldan yn ymuno ag afon Teifi, mae Netpool, sef y brif ganolfan adeiladu llongau, ond ychydig iawn o olion sydd i'w gweld ohoni heddiw. Dilynwch yr arwyddion o

little traffic. You pass on your left is the entrance to Old Castle farm, where the Normans built their first motte castle overlooking the Teifi. Stay on the tarmac through a zig-zag until it gives out.

Follow the sign along the edge of two fields, across another field and then along a scrubby woodland edge; you soon emerge into a boatbuilder's yard at Nant y Ferwig. From here follow the pavement towards Gwbert, enjoying splendid views over the Teifi estuary and passing the boating community at Pen yr ergyd.

Aber yr afon Teifi
Teifi estuary

© Jeremy Moore

© Melvin Grey

Mae'r Chwiwell yn ymweld â'r aberoedd yn y gaeaf
Wigeon, winter visitors to the esturies

ben pellaf y maes parcio gan ddringo'r rhiw hyd nes i chi gyrraedd y bandstand. Cadwch i'r dde gan gadw'r fynwent ar y llaw chwith i chi a'r fynedfa i goedwig Mwldan ar y llaw dde i chi. Wrth y gyffordd, anelwch i'r chwith heibio i feysydd chwarae Maes Radley gan ddilyn y ffordd. Nid yw'r ffordd hon yn arwain i un man ac ychydig iawn o draffig sy'n ei defnyddio. Ar y chwith mae'r fynedfa i Old Castle Farm lle adeiladodd y Normaniaid eu castell mwnt a beili cyntaf yn edrych dros y Teifi. Arhoswch ar y ffordd gan ddilyn ei llwybr igam-ogam hyd nes iddi ddod i ben.

Dilynwch yr arwydd gan gerdded ar hyd ymyl dau gae, ar draws cae arall ac yna ar hyd ymyl prysgog darn o goetir. Cyn bo hir, byddwch yn cyrraedd iard

Along the estuary's north shore at Nant y Ferwig, where the road touches the shore, salt marsh vegetation has developed: edible marsh samphire, sea aster and dense stands of introduced rice grass grow here. Estuaries with large areas of mud and sand flats at low tide attrach a variety of birds throughout the seas. In autumn redshank and oystercatchers can be seen, and the curlew with its wild ringing call. Terns and cormorants fish here, together with gulls that enjoy bathing in the freshwater shallows. Breeding mute swans and feeding herons are to be seen, with perhaps the sapphire dash of a kingfisher. The foreshore sand dunes at Pen yr Ergyd have a rich display of flowers in June and July, including orchids, sea bindweed

adeiladu llongau yn Nant y Ferwig. O'r fan hon, dilynwch y pafin tuag at Gwbert gan fwynhau golygfeydd godidog ar draws aber afon Teifi a phasio'r gymuned gychod ym Mhenyrergyd.

Ar hyd glan ogleddol yr aber yn Nant y Ferwig (lle mae'r ffordd yn cyffwrdd â'r traeth), mae llystyfiant sy'n nodweddiadol o forfeydd heli wedi datblygu; mae llyrlys bwytadwy, sêr y morfa a chlystyrau trwchus o gordwellt a gyflwynwyd yn tyfu yma. Mae aberoedd lle ceir traethellau llaid a thywod sylweddol yn ystod llanw isel yn denu amrywiaeth o adar ym mhob tymor. Yn yr hydref, gellir gweld pibyddion coesgoch a phiod môr, a gellir clywed cri atseiniol wyllt y gylfinir.

and evening primroses. The whole succession of vegetation from bare shingle through marram grass to stable gorse-covered dunes is apparent. Below the bluff, land slippage recently revealed evidence of medieval occupation which had been hidden beneath windblown sand. Pieces of pottery have been found, together with leather fragments including the soles and uppers of old footwear, now on view at Ceredigion Museum, Aberystwyth and in the Cardigan Heritage Centre.

The pavement reaches a viewpoint, but gives out with a short distance still remaining, so take good care on the last stretch

Pen yr Ergyd a Gwbert
Pen yr Ergyd and Gwbert

© Janet Baxter

Mae môr-wenoliaid a mulfrain yn pysgota yma, ynghyd â gwylanod sy'n mwynhau ymdrochi yn y dŵr croyw bas. Mae elyrch dof sy'n bridio a chrehyrod sy'n bwydo i'w gweld yma, ac efallai y gwelwch fflach o liw glas y dorlan. Mae arddangosfa gyfoethog o flodau i'w gweld yn y twyni tywod ar y traeth ym Mhen yr Ergyd ym mis Mehefin a mis Gorffennaf, gan gynnwys tegeirianau, taglys arfor a melyn yr hwyr. Mae'r olyniaeth gyfan o lystyfiant i'w gweld yma sy'n amrywio o raean garw a moresg i dwyni sefydlog wedi'u gorchuddio ag eithin.

Mae'r pafin yn cyrraedd man lle gellir stopio i edmygu'r olygfa, ond mae'n dod i ben ychydig bellter wedi hynny, felly

of road before the Cliff Hotel, Gwbert. The name *Gwbert* is a puzzle. Clearly not Welsh, almost certainly of medieval English origin, is it a corruption of the name Gilbert? It is one of a small but significant number of foreign place-names in this part of Ceredigion: for Mwnt and Cardigan Island, see below; there is also the nearby village of Ferwig, which is the English name *Berwick*, long re-rendered in Welsh form.

At the Cliff Hotel the path turns right, but walkers can make a detour through the car-park to the first fine cliff prospect on the path. Here, as at many points

Ynys Aberteifi a'r arfordir garw.
Cardigan Island and the rugged coastline

© Jeremy Moore

cymerwch ofal wrth gerdded ar hyd rhan olaf y daith ar hyd y ffordd i Westy'r Cliff yng **Ngwbert**. Mae'r enw *Gwbert* yn

along the coast, the cliffs are pitted with indentations where the sea has found weaknesses in the rocks; most are inaccessible.

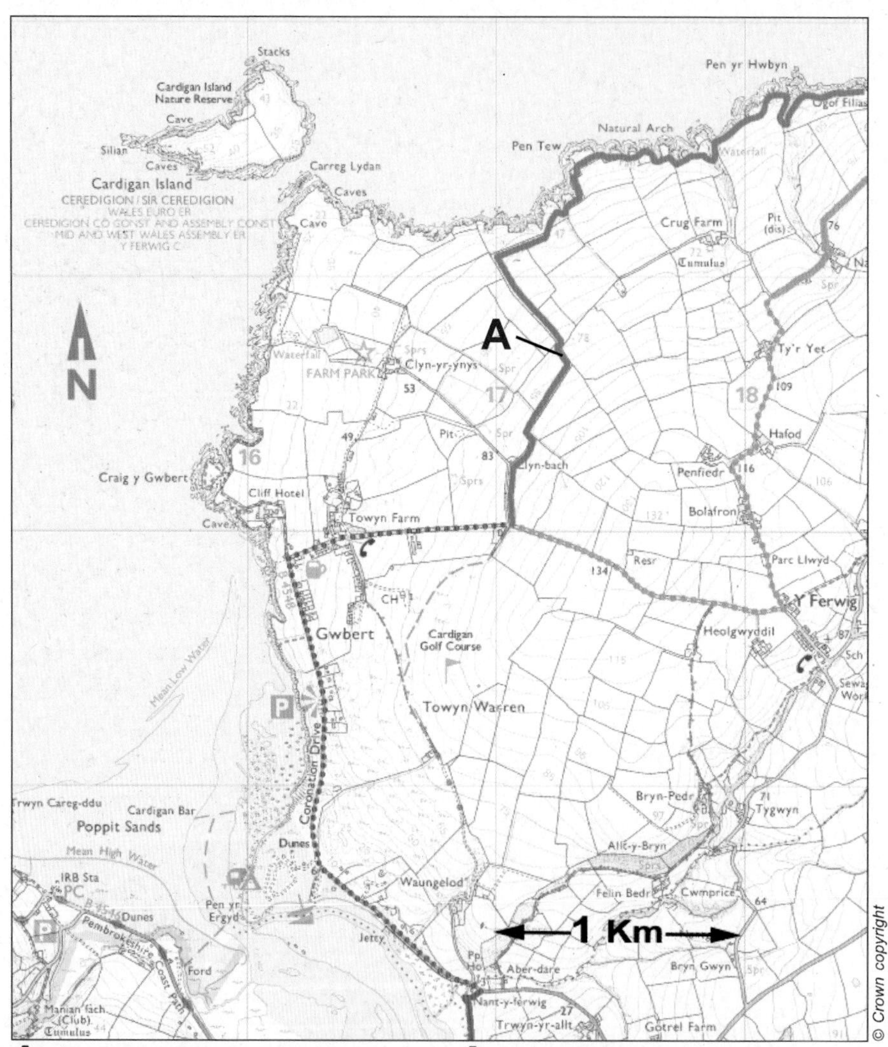

A *Ar adeg cyhoeddi, mae'r llwybr glas yn destun camau apelio cyfreithiol ac nid yw ar gael.*

A *At publication the blue route is subject to legal appeal proceedings and is unavailable.*

© Ceredigion

Odyn galch ger Gwbert
Lime kiln at Gwbert

peri penbleth. Nid enw Cymraeg mohono'n amlwg ac mae bron yn sicr mai enw Saesneg o'r Canol Oesoedd yw Gwbert, ond ai ffurf ar yr enw Gilbert yw e'? Mae Gwbert yn un o blith nifer fach ond sylweddol o enwau lleoedd estron yn y rhan hon o Geredigion – ceir mwy o wybodaeth am Mwnt ac Ynys Aberteifi isod. Yn ogystal, mae pentref gerllaw o'r enw Ferwig, sef fersiwn o'r enw Saesneg *Berwick* a droswyd i'r Gymraeg ers tro.

Yng Ngwesty'r Cliff, gall cerddwyr ddilyn ffordd arall gan fynd drwy'r maes parcio i weld yr olyfga dda gyntaf o glogwyni ar y

Craig y Gwbert is a coastal headland, almost cut off by two small coves; it was once occupied as a promontory fort during the Iron Age. The man-made banks that protected the entrance are all that remains.

On this little detour there is a lime-kiln perched above a narrow beach, which can have given only perilous access to the boats that brought coal and limestone from south Pembrokeshire. Lime-kilns are the most frequently encountered ruins on the coastal path, but many more have entirely vanished. The county's soil is acid, and to

llwybr. Mae'r clogwyni yn y fan hon, fel mewn sawl man arall ar hyd yr arfordir, yn frith o gilfachau lle mae'r môr wedi dod o hyd i wendidau yn y creigiau. Nid oes modd cyrraedd y rhan fwyaf o'r cilfachau hyn. Pentir arfordirol yw Craig y Gwbert sydd wedi'i dorri i ffwrdd oddi wrth y tir mawr bron gan ddau gildraeth. Ar un adeg, roedd pobl yn byw yma mewn caer bentir a godwyd yn ystod Oes yr Haearn. Yr unig olion sydd i'w gweld heddiw yw'r banciau o waith dyn a godwyd i amddiffyn y fynedfa i'r gaer.

cultivate it well called for regular treatment with quicklime. Ceredigion is entirely without limestone, which was quarried in south Pembrokeshire and brought up the coast by small vessels; others brought loads of coal and culm. Where possible they might unload at jetties; otherwise they would dump the stone or coal overboard and sail away (culm, being dusty, had to be treated more carefully). The stone would be carried by horse and cart to the kiln and burnt to give quicklime, which farmers would buy and carry off, again by horse and cart.

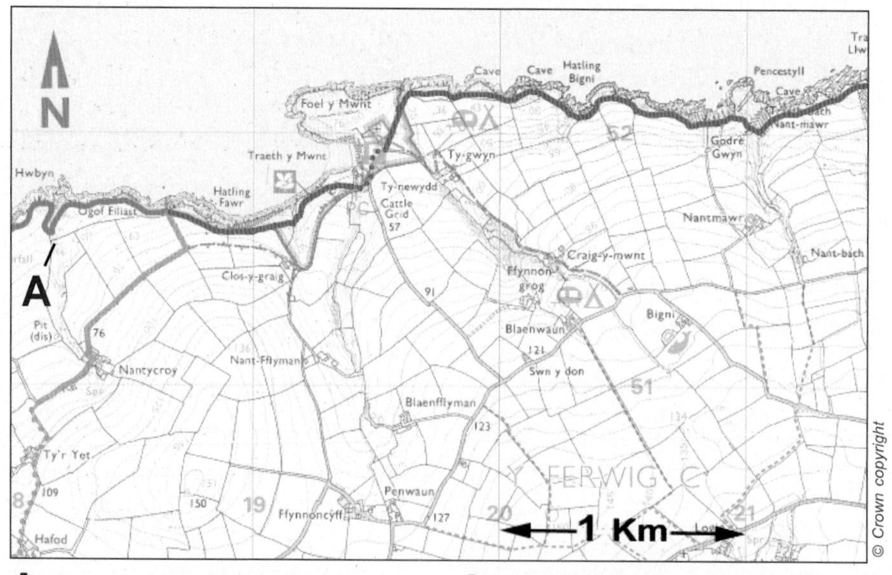

A *Ar adeg cyhoeddi, mae'r llwybr glas yn destun camau apelio cyfreithiol ac nid yw ar gael.*

A *At publication the blue route is subject to legal appeal proceedings and is unavailable.*

Wrth ddilyn y ffordd arall hon, gellir gweld odyn galch wedi'i lleoli uwchlaw traeth cul y byddai'r cychod a oedd yn cludo glo a chalchfaen o dde Sir Benfro wedi'i chael hi'n anodd iawn cael mynediad iddo. Odynau calch yw'r adfeilion y byddwch yn dod ar eu traws yn fwyaf aml ar lwybr yr arfordir, ond mae llawer mwy o odynau calch wedi diflannu'n gyfan gwbl. Mae pridd y sir yn asidig ac felly er mwyn ei amaethu'n dda, rhaid oedd ei drin yn rheolaidd â chalch brwd. Nid oes calchfaen ar gael o gwbl yng Ngheredigion, felly byddai'n cael ei gloddio mewn chwareli yn ne Sir Benfro a'i gludo i fyny'r arfordir mewn llongau bach. Byddai llongau eraill yn cludo llwythi o lo a glo mân. Lle'r oedd hynny'n bosibl, byddai'r llongau hyn yn dadlwytho'u cynnyrch ar lanfeydd; fel arall, byddent yn gollwng y calchfaen neu'r glo i'r môr ac yn hwylio i ffwrdd (roedd yn rhaid iddynt fod yn fwy gofalus â glo mân am ei fod yn llychlyd). Byddai'r calchfaen yn cael ei gario gan geffyl a chart i'r odyn a'i losgi er mwyn cynhyrchu calch brwd. Byddai ffermwyr yn prynu'r calch brwd hwn a'i gludo adref gan ddefnyddio ceffyl a chart unwaith eto.

© Janet Baxter

Gwylanod cefnddu mwyaf
Greater black-backed gulls

Returning to the road, bear left at the Gwbert Hotel uphill past Towyn Farm site on your left, where once the greatest poets of fifteenth-century Wales came to praise and mourn the wealthy family of Rhys ap Rhydderch and his lineage, to reach the entrance to the Cardigan Island Farm Park (entry fee), which offers a fine stretch of the local cliffs and great views of the island, interesting animals and refreshments. At the time of writing development of the path from here to Mwnt has been delayed, but it should eventually be possible to follow signs from this point onwards. In the meantime follow the road towards Ferwig, turning left immediately before the village and continuing for a mile until

Traeth cysgodol islaw Foel y Mwnt
The sheltered beach below Foel y Mwnt

Gan ddychwelyd i'r ffordd, cadwch i'r chwith wrth ymyl Gwesty Gwbert gan fynd i fyny'r rhiw heibio i safle fferm Towyn lle'r arferai beirdd enwocaf Cymru ddod yn y bymthegfed ganrif i ganu cerddi mawl a marwnad i deulu cyfoethog Rhys ap Rhydderch a'i linach. Mae'r llwybr yn eich tywys i fynedfa Parc Fferm Ynys Aberteifi (codir tâl mynediad) sydd wedi'i leoli ar hyd darn godidog o'r clogwyni lleol ac sy'n cynnwys golygfeydd gwych o'r ynys, anifeiliaid diddorol a lluniaeth. Adeg ysgrifennu'r llyfr hwn, mae oedi wedi bod yn y gwaith o ddatblygu'r llwybr rhwng y pwynt hwn a Mwnt, ond dylai fod modd dilyn arwyddion o'r fan hon

you can join a bridleway at Nant-y-crou farm, which leads to the path into Mwnt.

Approaching Mwnt one has fine views of Cardigan Island, 38 acres in extent, originally named Hastiholm (Horse Island) by the

Morlo llwyd *Grey sea*

© Janet Baxter

Odyn galch ym Mwnt
Lime kiln at Mwnt

ymlaen cyn bo hir. Yn y cyfamser, dilynwch y ffordd tuag at Ferwig gan droi i'r chwith yn union cyn y pentref, a pharhewch i gerdded am filltir hyd nes y gallwch ymuno â llwybr ceffylau yn Fferm Nant-y-crou sy'n arwain at y llwybr i Mwnt.

Ar y ffordd i Mwnt, ceir golygfeydd bendigedig o Ynys Aberteifi, sy'n 38 erw i gyd ac a gafodd ei henwi'n Hastiholm (Ynys Ceffylau) yn wreiddiol gan y Llychlynwyr. Mae'r ynys yn warchodfa natur sy'n eiddo i Ymddiriedolaeth Bywyd Gwyllt

Norsemen. The island is a nature reserve owned by the Wildlife Trust of South and West Wales, and is a designated SSSI. The island is grazed by Soay sheep. Rats drove away the puffins which used to nest here, and although the rats have been exterminated, only lesser black-backed gulls, herring gulls and a few greater black-backed gulls nest here. The eastern half of the island is a sheet of bluebells in spring.

De a Gorllewin Cymru, ac mae wedi'i dynodi'n Safle o Ddiddordeb Gwyddonol Arbennig hefyd. Mae defaid Soay yn pori ar yr ynys. Arferai palod nythu ar yr ynys ond cawsant eu gyrru i ffwrdd gan y llygod mawr ac er bod y llygod wedi cael eu difa, dim ond gwylanod cefnddu lleiaf, gwylanod y penwaig a rhai gwylanod cefnddu mwyaf sy'n nythu ar yr ynys bellach. Yn y gwanwyn, caiff hanner dwyreiniol yr ynys ei orchuddio â blanced o glychau'r gog.

Mae'r llwybr i Mwnt yn pasio odyn galch a ffordd sy'n eich tywys i lawr i'r cildraeth hyfryd.

The path down to Mwnt passes a lime-kiln and a diversion down to the splendid cove.

This is the end of a meltwater channel carved by Ice Age glacial flow, now choked by a fascinating formation of sand, gravel and stones which is crowned by a relict sand dune system. The name is an early borrowing from English *mount*, referring to the pyramidal hill which is such a local landmark. The land around belongs to the National Trust, including the car-park (free to N.T. members) and

Clustog Fair ar Foel y Mwnt
Thrift on Foel y Mwnt

© Janet Baxter

Mae'r cildraeth ei hun yn dynodi diwedd sianel o ddur tawdd a gerfiwyd i'r ddaear gan rewlif yn ystod Oes yr Iâ ac sydd bellach wedi'i amgylchynu gan ffurfiant diddorol o dywod, graean a cherrig a gaiff ei goroni gan system dwyni tywod sydd wedi goroesi. Mae'r enw Mwnt yn fenthyciad cynnar o'r gair Saesneg *mount*, sy'n cyfeirio at fryn ar siâp pyramid sydd yn dirnod lleol. Mae'r tir o amgylch yn eiddo i'r Ymddiriedolaeth Genedlaethol, gan gynnwys y maes parcio (sy'n rhad ac am ddim i aelodau'r Ymddiriedolaeth), y toiledau cyhoeddus a'r traeth hyfryd. Mae'r traeth yn boblogaidd iawn

the public toilets, and the delightful beach is enormously popular with visitors, though they have to struggle to negotiate the single-lane road, and beach access for the disabled is difficult. Refreshments are available during the tourist season. The medieval church of the Holy Cross is always open and much visited; up the slope behind the car-park is Ffynnon-grog, the Holy Cross Well. The sward north of the church is a spread of blue squills in spring, and there are fine displays of sea pinks on the Mwnt itself, which gives fine sea-views, but be extra careful in high winds. Below the rocks here and at many points

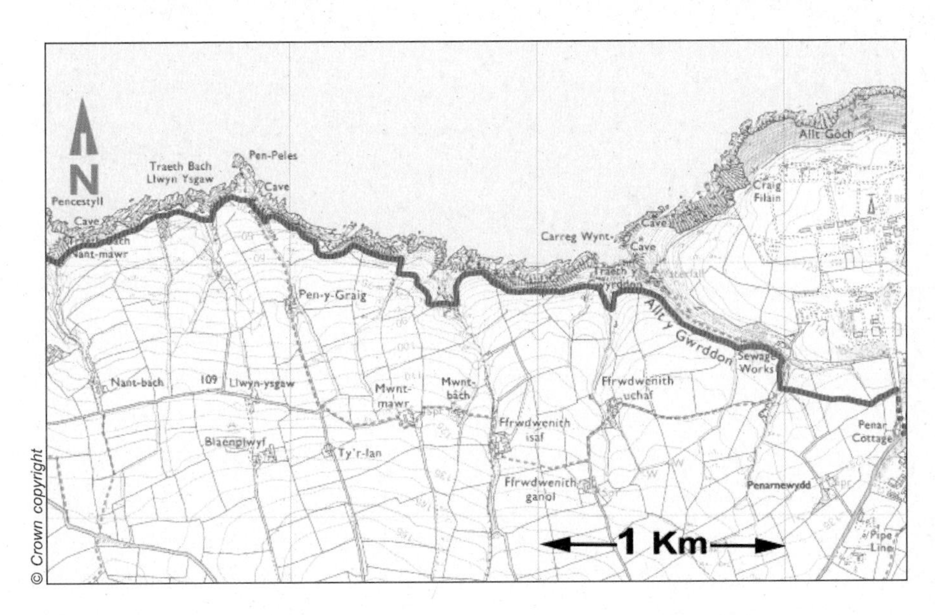

ymhlith ymwelwyr ond mae'r ffordd gul sy'n arwain iddo yn drafferthus iawn ac mae'n anodd i bobl anabl gael mynediad i'r traeth. Mae lluniaeth ar gael yn ystod tymor y gwyliau. Mae eglwys ganoloesol y Groes Sanctaidd ar agor bob amser ac mae'n boblogaidd iawn ag ymwelwyr. I fyny'r llethr y tu ôl i'r maes parcio mae Ffynnon-grog, sef ffynnon Eglwys y Groes Sanctaidd. Mae seren y gwanwyn yn gorchuddio'r glaswellt i'r gogledd o'r eglwys yn ystod misoedd y gwanwyn, ac mae clystyrau da o

one can look out for grey seals and cetaceans, either the larger bottlenose dolphin with its beak-like snow and sickle-like dorsal fine, or the smaller porpoise, with its triangular dorsal fins.

From Mwnt the path continues eastwards through more spring squills and summer bell-heather, with fine views overlooking cliff, caves and inaccessible coves, the largest of which bears the splendid name of Hatling Bigni, past the little headlands of Pencestyll and Pengraig to Pen Peles. As well as numerous

Eglwys y Groes Sanctaidd, Mwnt
Church of the Holy Cross nestling below Foel y Mwnt

© Janet Baxter

glustogau Mair i'w gweld ar y mwnt ei hun. Mae'r mwnt yn cynnig golygfeydd da o'r môr, ond cymerwch ofal arbennig os yw'r gwynt yn gryf. Islaw'r creigiau yn y fan hon ac mewn sawl man arall ar yr arfordir, gellir gweld morloi llwyd a morfilod – naill ai'r dolffin trwyn potel mwy o faint sydd â thrwyn fel pig ac asgell gefn sy'n edrych fel cryman neu'r llamhidydd llai o faint â'i asgell gefn drionglog.

Gan adael Mwnt, mae'r llwybr yn parhau i'r dwyrain gyda seren y gwanwyn a grug y mêl

gulls, fulmars haunt the coastal cliffs. The fulmar, which at first sight looks like a gull, is actually a petrel, related to the albatross. It can be identified by its wings, much stiffer and straighter than a gull's. Look out for gannets, folding their six-foot wingspan when diving spectacularly for fish.

Just inland from the coast are several fields which have the status of Sites of Special Scientific Interest (SSSI). The area has supported arable farming for many generations,

Pen Peles i'r Mwnt
Pen Peles to Mwnt

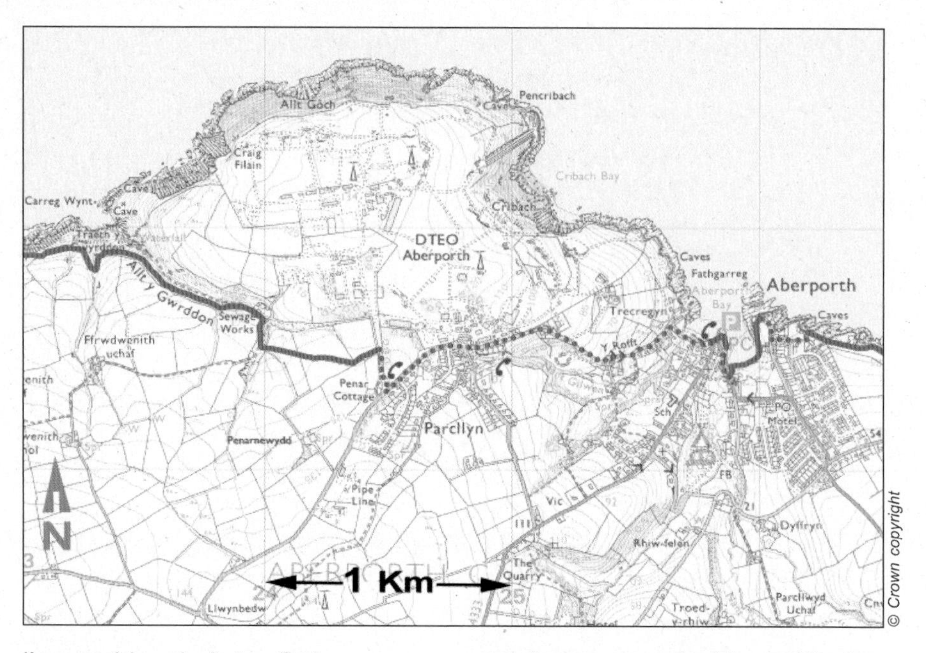

i'w gweld ar bob tu. Ceir golygfeydd da dros glogwyni, ogofâu a childraethau anghysbell (Hatling Bigni yw enw rhyfedd ond trawiadol y mwyaf o blith y cildraethau hyn) heibio i bentiroedd bach Pencestyll a Phengraig hyd at Ben Peles. Mae adar drycin y graig yn trigo ar y clogwyni arfordirol yn ogystal â nifer o wylanod. Er ei fod yn edrych fel gwylan ar yr olwg gyntaf, pedryn yw aderyn drycin y graig mewn gwirionedd ac mae'n perthyn i'r albatros. Gellir ei adnabod drwy edrych ar ei adenydd sy'n llawer mwy stiff a syth nag adenydd gwylanod.

and there are valuable residual populations of plants, many of them rarities, associated with cornfields. They include small-flowered catchfly, sharp-leaved fluellen, weasel's snout, annual knawel, dwarf spurge, small-flowered buttercup and cornfield knotgrass. Chough, linnet, skylark and yellowhammer are among the local birds, and quail have been recorded hereabouts.

In April the ground is covered with bluebells and flowering scurvy grass, prettier than its name; in season marsh orchids can be seen in the fields. This

Cadwch lygad am huganod hefyd sy'n plygu eu hadenydd sy'n mesur chwe throedfedd ar eu hyd wrth iddynt blymio'n urddasol ar ôl pysgod.

Ychydig bellter o'r arfordir, ceir nifer o gaeau sy'n Safleoedd o Ddiddordeb Gwyddonol Arbennig. Defnyddiwyd yr ardal hon at ddibenion ffermio tir âr am genedlaethau, ac mae rhywogaethau gweddilliol gwerthfawr o blanhigion sy'n gysylltiedig â chaeau llafur i'w gweld yno (mae nifer ohonynt yn brin). Mae'r rhain yn cynnwys gludlys amryliw, llysiau

© Janet Baxter

Chlustog Fair a Seren y Gwanwyn
Thrift and Spring Squill

section of the path, noted for butterflies, is intersected by a number of steep-sided gullies, each with a bridged stream. The most spectacular of these

© Janet Baxter

Pen Peles i Aber-porth
Pen Peles to Aber-porth

Llywelyn, y trwyn-y-llo lleiaf, dinod unflwydd, corlaethlys, blodau-ymenyn mân-flodeuog a chanclwm y tir âr. Mae'r frân goesgoch, y llinos, yr ehedydd a'r bras melyn ymhlith yr adar sydd i'w gweld yn lleol, ac mae'r sofliar wedi'i chofnodi yn y cyffiniau hefyd.

Ym mis Ebrill, caiff y ddaear ei gorchuddio â chlychau'r gog a llwylys blodeuog. Yn ei dymor, gellir gweld tegeirian y gors yn y caeau hefyd. Mae nifer o geunentydd serth yn torri ar draws y rhan hon o'r llwybr (sy'n nodedig am ei hieir bach yr haf), ac mae pob un o'r rhain yn cynnwys nentydd â phontydd drostynt. Mae'r mwyaf trawiadol o'r dyffrynnoedd hyn, sef Cwm Gwrddon, yn enghraifft arall o sianel dŵr tawdd rhewlifol sy'n nodweddiadol o'n harfordir. Mae is-lwybr serth yn arwain i lawr i Draeth Gwrddon lle daethpwyd o hyd i gorff morwr a oedd wedi boddi un tro. Yn union o'ch blaen mae Penrhyn Aber-porth y mae'n rhaid i'r llwybr ei osgoi.

Y penrhyn hwn yw'r nodwedd amlycaf ar yr arfordir rhwng Mwnt ac Ynys Lochdyn. Yn

valleys, Cwm Gwrddon, is another of the glacial meltwater channels that are typical of our coast. There is a steep side-path down to the beach, Traeth Gwrddon, where once the drowned corpse of a sailor was found. Before you is the mass of Aber-porth Head which the path has to avoid.

This promontory is the dominant feature on the coast between Mwnt and Ynys Lochtyn, and unfortunately is not accessible for walking; this at least is beneficial for wildlife, especially plants, and botanical society members are occasionally allowed on the site. It was here in 1940 that the government set up the Projectile Development Establishment for testing weapons, which grew up alongside the RAF's training base nearby. At the end of the war the grass airstrip nearby was relaid in tarmac and is now a privately-operated aircraft facility. The PDE became the Royal Aircraft Establishment, a major launch site for missiles fired at floating and airborne targets. It has gone through a number of manifestations, and

anffodus, nid yw'r ardal hon yn agored i gerddwyr, ond mae hyn yn fuddiol i fywyd gwyllt o leiaf, yn enwedig planhigion, ac mae aelodau o'r gymdeithas fotaneg yn cael caniatâd i ymweld â'r safle yn achlysurol. Dyma ble sefydlodd y llywodraeth y *Projectile Development Establishment* ar gyfer profi arfau ym 1940, ac fe'i codwyd wrth ochr canolfan hyfforddi'r Awyrlu Brenhinol sydd gerllaw. Ar ddiwedd y rhyfel, ailorchuddiwyd y llain lanio laswelltog gyfagos â tharmac, ac mae bellach yn gyfleuster ar gyfer awyrennau a gaiff ei redeg gan gwmni preifat. Newidiwyd enw'r P.D.E i'r *Royal Aircraft Establishment*, a daeth yn ganolfan lansio bwysig ar gyfer taflegrau a oedd yn cael eu tanio at dargedau yn y môr a thargedau yn yr awyr. Mae'r ganolfan wedi mynd trwy nifer o newidiadau, a chaiff ei rhedeg a'i rheoli bellach gan QinetiQ IX ar ran y Weinyddiaeth Amddiffyn er mwyn gwneud gwaith profi, gwerthuso a hyfforddi.

Mae'r prif lwybr o Gwm Gwrddon yn troi tua'r tir er mwyn osgoi'r safle ymchwil

© Janet Baxter

Pen Peles *Pen Peles*

is now operated and managed by QinetiQ IX for the Ministry of Defence for testing, evaluation and training.

The main path from Cwm Gwrddon turns inland to bypass the military research site. It runs up the Gwrddon valley through rough woodland to open fields, finally emerging at a back

milwrol. Mae'r llwybr yn rhedeg i fyny dyffryn Gwrddon drwy goetir garw i gaeau agored gan ddod i ben ger un o fynedfeydd cefn y ganolfan ymchwil. O'r fan hon, trowch i'r dde i'r briffordd ac yna trowch i'r chwith heibio i brif fynedfa QinetiQ (gweler isod). O fynedfa QinetiQ, cadwch i'r chwith heibio i'r arhosfan bysus gan gerdded ar hyd ffordd droellog gul am filltir hyd nes cyrraedd maes parcio'r dolffin yn Aber-porth. Cofiwch gymryd pob gofal wrth gerdded ar y ffordd.

entrance to the research centre. From here turn right to the main road, then left past the main entrance to QinetiQ (see below). From the QinetiQ entrance, bear left past the bus-shelter down a mile-long stretch of narrow winding road down into Aber-porth to arrived at the Dolphin car-park, exercising the greatest care on the way.

Aderyn Drycin y Graig
Fulmar Petrel

Gwylan y Penwaig
Herring Gull

Yr Arfordire i'r gogledd o Dre-saith
The coast north of Tre-saith

Aber - porth i Langrannog
Aber - porth to Llangrannog

SN 259516 - 310541
4.8 m / 7.7 km

Aber-porth yw un o'r mannau mwyaf deniadol ar arfordir Ceredigion ac nid yw'n syndod felly ei fod wedi bod yn fan poblogaidd ymhlith pysgotwyr er nad oedd ganddo harbwr naturiol go iawn. Mae Aber-porth yn llawer haws ei gyrraedd o

Aber-porth is one of the most attractive sites on the Ceredigion coast, and it's not surprising that, even without a proper natural harbour, it was favoured by fishermen. It is much easier of access from the main county

Traeth y Plas
Plas Beach

© Jeremy Moore

Traethau Aber-porth
Aber-porth Beaches

briffordd y sir na thraethau Penbryn a Llangrannog sydd ymhellach i'r gogledd. Ceir dau draeth, sef Traeth Plas a Thraeth y Dyffryn, ac mae nant Howni yn rhedeg drwy'r naill draeth a nant Gilwern yn rhedeg drwy'r traeth arall. Gelwir y traeth deheuol yn Draeth Plas a gelwir y traeth gogleddol, a oedd yn cael ei ddefnyddio gan longau, yn Draeth y Llongau neu Draeth y Dyffryn. Mae gan Aber-porth faes parcio â cherflun cain o ddolffin wedi'i gerfio o bren. Mae gwasanaeth bws ar gael, a cheir caffis sydd ar agor yn ystod tymor y gwyliau.

Ym 1566 enwyd Aber-porth fel cilfach oedd yn rhan o borthladd Aberteifi, ond erbyn 1700 roedd

road than the beaches further north at Penbryn and Llangrannog. There are two beaches, each with its own stream, the Howni and the Gilwern. The south beach is known as Traeth Plas, the northern beach, used by shipping, is known as Traeth y Llongau or Traeth y Dyffryn (Ships' Beach or Valley Beach). Aber-porth has a car-park with a fine carved wooden sculpture of a dolphin, a bus service and seasonal cafés.

Named as a creek under the port of Cardigan in 1566, by 1700 Aber-porth was visited by trading vessels and became a major

llongau masnach yn ymweld â'r bae a thyfodd yn ganolfan bwysig ar gyfer pysgota a chochi neu halltu penwaig o Fae Ceredigion. Cychod rhwyfo mawr a allai ddefnyddio hwyliau hefyd oedd y llongau penwaig, ac roeddent yn cyflogi criw o oddeutu hanner dwsin. Roedd y pysgod yn cael eu dal trwy ddefnyddio rhwydi oedd yn drifftio gyda'r llanw neu rwydi oedd â phwysau yn eu dal yn eu lle. Roedd o leiaf chwe safle wedi'u clustnodi ar gyfer rhwydi ym mae Aber-porth yn unig. Roedd tymor y penwaig yn ymestyn o'r hydref hyd at ddiwedd y gaeaf. Roedd yr heigiau pysgod yn anferth ac roedd yn hawdd eu pysgota yn ystod tywydd teg.

Er ei fod yn lle bach, roedd gan Aber-porth odynau calch, iardiau glo a stordai, a'i wneuthurwr hwyliau ei hun. Mae enwau llongau Aber-porth o ddiwedd y ddeunawfed ganrif ymlaen yn hysbys i ni, a hyd yn oed ym 1876, pan oedd y diwydiant yn dirywio, roedd Aber-porth yn gartref i un ar ddeg o longau hwylio oedd yn pwyso rhwng 23 a 147 tunnell ac roedd gan y porthladd ei gwmni yswiriant

centre for the fishing and salting or smoking of herrings from Cardigan Bay. The herring boats were substantial rowing boats which could also use sail, employing a crew of half-a-dozen or so. The fish were netted either by drifting the boat with the tide or by setting nets with weights holding them in place. There were at least six named sites for nets in Aber-porth bay alone. The herring season was in autumn and late winter; the shoals were huge and the pickings easy in fair weather.

Small as it was, Aber-porth had limekilns, coalyards and warehouses, and its own sailmaker. From late in the 18th century the names of Aber-porth ships are known, and even in 1876, when the industry was in decline, Aber-porth was home to eleven sailing vessels of between 23 and 147 tons and still had its own shipping insurance company. Compared with other coastal harbours, however, only a few small sailing vessels were built here. As steam replaced sail, two enterprising families from Aber-porth moved to Cardiff, founding two of the port's most successful

llongau ei hun o hyd. O gymharu â phorthladdoedd arfordirol eraill fodd bynnag, dim ond ychydig o longau hwylio bach a adeiladwyd yma. Wrth i ager ddisodli hwyliau, symudodd dau deulu blaengar o Aber-porth i Gaerdydd gan sefydlu dau o gwmnïau llongau mwyaf llwyddiannus y porthladd, sef Evan Thomas Radcliffe a Jenkins Brothers. Methiant fu dwy fenter arall. Gweithiodd llawer o'r dynion lleol yn y Llynges Fasnachol a'r diwydiant pysgota dros gyfnod o sawl cenhedlaeth ond erbyn hyn, dim ond llond dwrn o bysgotwyr rhan amser sy'n gweithio yn Aber-porth. Mae Aber-porth yn cyflawni sawl prif swyddogaeth

shipping companies, Evan Thomas Radcliffe and Jenkins Brothers; two other ventures failed. For several generations many of the local men worked in the Merchant Navy and the fishing industry; now only a handful of men fish part-time. Aber-porth now has a number of functions: servicing the QinetiQ facility on the headland, as a dormitory for employment in Cardigan, for tourism and as a centre of excellence for unmanned aerial vehicles (UVAs).

The Path leads from the Dolphin car-park round the second little bay and uphill, turning left by a toilet block through modern housing, past what used to be

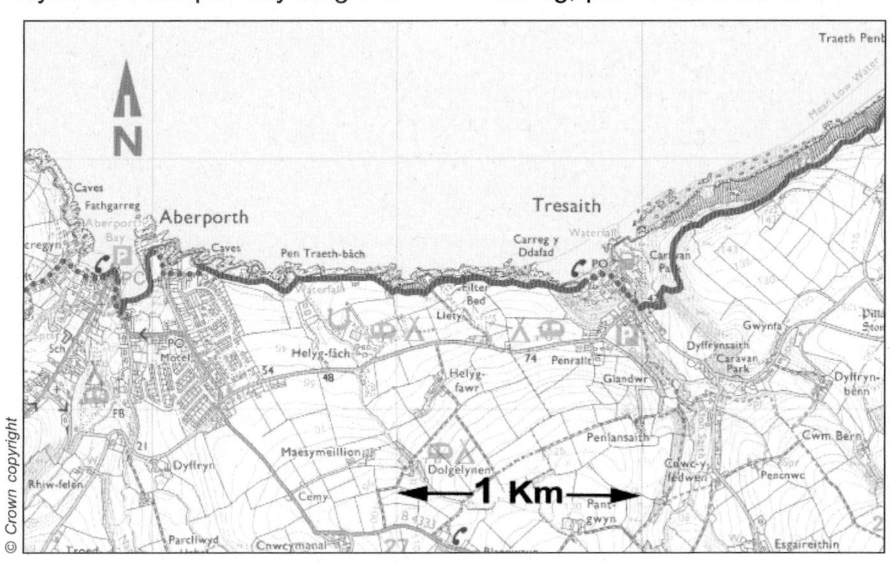

bellach: mae'n gwasanaethu cyfleuster QinetiQ ar y penrhyn; mae'n gartref i bobl sy'n gweithio yn Aberteifi; mae'n gyrchfan i dwristiaid ac yn ganolfan rhagoriaeth ar gyfer awyrennau di-beilot.

Mae'r llwybr yn mynd yn ei flaen o faes parcio'r dolffin o gwmpas yr ail fae bach, ac mae'n dringo i fyny'r rhiw gan droi i'r chwith ger bloc o doiledau drwy gasgliad o dai modern gan fynd heibio i'r hen White Lion Inn a chapel Bryn Seion – y ddau ohonynt yn gartrefi preifat bellach – cyn

the White Lion Inn and Bryn Seion chapel, both now private dwellings, and quickly emerges on the cliff-top; a section of the path here was prepared by United Nations volunteers. There have been unfortunate developments close to the cliffs on the next section of the path to Tre-saith but the route still gives splendid views northwards and westwards. The first 400 metres gives wheelchair access to the clifftop, the only spot where this is possible.

Tre-saith
Tre-saith

cyrraedd pen y clogwyn yn fuan. Paratowyd rhan o'r llwybr yn y fan hon gan wirfoddolwyr y Cenhedloedd Unedig. Mae datblygiadau anffodus wedi'u codi yn agos i'r clogwyni ar ran nesaf y llwybr i Dre-saith, ond mae'r llwybr yn dal i gynnig golygfeydd godidog tua'r gogledd a'r gorllewin. Mae 400m cyntaf y llwybr yn rhoi mynediad i ben y clogwyn i bobl mewn cadair olwyn, a dyma'r unig fan ar y llwybr lle gellir gwneud hynny.

Tre-saith. Cyn 1850 nid oedd unrhyw beth yn Nhre-saith ar wahân i fwthyn, odyn galch a'r Ship Inn, ond roedd cwch bach wedi'i adeiladu ar y traeth ym 1827. Roedd y cwch hwn, fel sawl cwch arall, yn eiddo i deulu Parry a oedd wedi bod yn berchen ar y Ship ers tro. Serch hynny, ni fu Tre-saith erioed yn gymuned forwrol fel Aber-porth neu Langrannog. O oddeutu 1880 ymlaen, dechreuodd y traeth ddenu ymwelwyr a thrigolion newydd i fyw i'r ardal, gan gynnwys y nofelydd poblogaidd Allen Raine (Anne Adelisa Puddicombe, Evans gynt) a oedd yn dod o Gastellnewydd Emlyn yn wreiddiol. Symudodd Allen Raine

Tre-saith. Before 1850 there was nothing at Tre-saith except a cottage, a lime kiln and the Ship Inn, though a small vessel had been built on the beach in 1827, belonging like several other boats to the Parrys, long-time owners of the Ship. Despite this, Tre-saith was never a maritime community like Aber-porth or Llangrannog. From about 1880 the beach began to attract visitors and new inhabitants, including the popular novelist Allen Raine (Anne Adelisa Puddicombe, née Evans), originally of Newcastle Emlyn, who lived here from 1900 till her death in 1908. Born at Newcastle Emlyn in 1836, she was a late developer as a novelist, only starting to publish when she was sixty. *The Welsh Singer* was followed by eleven other novels, mostly written here. There is a pleasant pub, the Ship, open year-round. Summer visitors need to understand that parking is extremely difficult here.

As well as its small but pleasant beach, Tre-saith has the most spectacular of the many small waterfalls along the coast where the river Saith plunges onto the shore. The spectator may well be

i Dre-saith ym 1900 ac arhosodd yno hyd nes y bu farw ym 1908. Fe'i ganwyd yng Nghastell Newydd Emlyn ym 1836, a dechreuodd ysgrifennu yn hwyr yn ei bywyd gan ddechrau cyhoeddi ei gwaith pan oedd yn chwe deg oed. Ar ôl ei nofel

puzzled why the river doesn't run down the valley at its lowest point. This is the result of glacial activity in the past; ice filled the little valley, so meltwater carved its own channel and poured onto the shore. When the ice disappeared the valley was filled

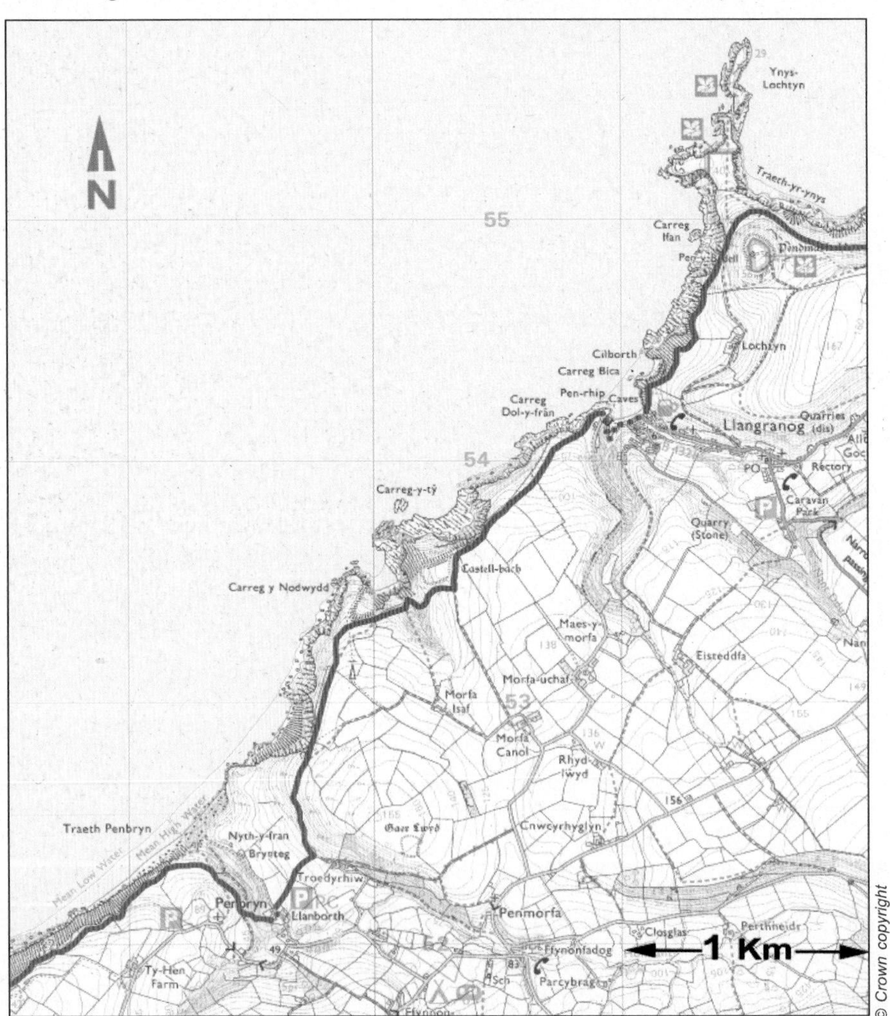

Y Rhaeadr, Tre-saith
The Waterfall, Tre-saith

gyntaf *The Welsh Singer*, ysgrifennodd un ar ddeg o nofelau eraill – y mwyafrif ohonynt yn Nhre-saith. Mae tafarn braf ar gael o'r enw The Ship sydd ar agor drwy gydol y flwyddyn. Mae angen i'r sawl sy'n ymweld â Thre-saith yn ystod yr haf wybod ei bod hi'n anodd iawn dod o hyd i le parcio yma.

Yn ogystal â'r traeth bach ond dymunol, mae Tre-saith yn gartref i'r rhaeadr fwyaf ysblennydd o blith yr holl raeadrau bach a geir ar hyd yr arfordir, wrth i afon Saith blymio i'r traeth. Efallai y byddwch yn pendroni pam nad yw'r afon yn

with boulder clay, preventing the river from regaining its pre-glacial course. Instead it runs over a gravel beach called a kame terrace, where the caravan park stands.

To continue the walk, turn in past the beach café; then immediately before the Ship hotel turn up a flight of steps to a bus-shelter. Then cross the road onto the path, which runs past a small chalet park. Steep steps rise uphill above Carreg y Trothwy. The cliff walk which follows is splendid, leading on to Penbryn,

Traeth y Penbryn
Penbryn beach

Eglwys Penbryn
Penbryn church

rhedeg i lawr y dyffryn yn ei fan isaf. Gweithgarwch rhewlifol y gorffennol sydd i gyfrif am hyn. Llenwyd y dyffryn bach ag iâ, felly roedd dŵr tawdd wedi cerfio ei sianel ei hun ac wedi llifo i'r traeth. Pan ddiflannodd yr iâ, llenwyd y dyffryn â chlai clogfaen gan atal yr afon rhag dychwelyd i'r cwrs yr oedd yn ei ddilyn cyn i'r rhewlifau ffurfio. Yn lle hynny, mae'r afon yn rhedeg dros draeth graeanog a elwir yn deras cnwc gro, lle saif y parc carafanau.

Er mwyn parhau â'ch taith, trowch i mewn tua'r tir heibio i'r caffi ar y traeth ac yn union cyn

one of the coast path's great treasures. Not long after it begins its descent the path divides; on the left it leads to the beach, to the right it goes down through attractive woodland to the National Trust centre and car-park. Halfway down a signposted path leads uphill through a field to reach the attractive medieval church, recently restored and usually open. It seems incredible now that this whole area was strongly Methodist, vigorously and sometimes riotously opposed to the payment of tithes to the vicar and to the

Traeth Penbryn
Penbryn beach

Gwesty'r Ship, dringwch y grisiau i gyrraedd yr arhosfan bysus. Yna croeswch y ffordd gan ymuno â'r llwybr sy'n rhedeg heibio i gabanau gwyliau bach. Mae grisiau serth yn esgyn i fyny'r rhiw uwchlaw Carreg y Trothwy. Mae'r daith gerdded ar hyd y clogwyn sy'n eich aros ar ôl i chi ddringo'r grisiau hyn yn odidog, ac mae'n arwain i Benbryn, sef un o drysorau llwybr yr arfordir. Mae'r llwybr yn rhannu'n ddau wrth iddo ddechrau disgyn - mae'r llwybr ar y chwith yn arwain i'r traeth, ac mae'r llwybr ar y dde yn disgyn

establishment of a church school. Uphill again from the church there is a fine standing stone of the Early Christian era standing in a field, commemorating the burial of one Corbalengus, a man from north Wales.

Penbryn. Unlike Llangrannog and Aber-porth, the scattered settlement at Pen-bryn is tucked away out of sight of the sea in the wooded Hownant valley, where the National Trust

yn is trwy goetir prydferth i ganolfan a maes parcio'r Ymddiriedolaeth Genedlaethol. Tua hanner ffordd i lawr, mae llwybr ag arwyddbyst yn eich tywys i fyny'r rhiw drwy gae er mwyn cyrraedd yr eglwys ganoloesol ddeniadol sydd wedi'i hadnewyddu'n ddiweddar ac sydd ar agor fel rheol. Mae'n anodd credu nawr bod yr ardal hon i gyd wedi bod yn gadarnle i'r Methodistiaid a bod trigolion yr ardal wedi gwrthwynebu'n chwyrn (ac yn dreisgar weithiau hefyd) yr arfer o dalu degwm i'r ficer a chynlluniau i sefydlu ysgol eglwysig. I fyny'r rhiw y tu hwnt i'r eglwys, mae carreg gadarn o'r cyfnod Cristnogol cynnar yn sefyll mewn cae i goffáu man claddu Corbalengus, sef gur o Ogledd Cymru.

Penbryn. Yn wahanol i Langrannog ac Aber-porth, mae anheddiad gwasgarog Penbryn wedi'i guddio o olwg y môr yn nyffryn coediog Hownant. Mae'r Ymddiriedolaeth Genedlaethol yn darparu maes parcio a gwasanaethau ar gyfer ymwelwyr yn ystod yr haf. Y traeth godidog, sydd heb ei ddinistrio gan unrhyw ddatblygiad ymwthiol neu barciau carafanau cyfagos, yw'r

provides a car-park and summer visitor services. The magnificent beach, unspoilt by intrusive development or any caravan parks nearby, is the main attraction, a far cry from life here in the 18th century, when this was a haunt of salt-smugglers and herring fishermen; the little valley is still known as Cwm Lladron – Thieves' Valley. At the little river's mouth, wind-blown sand has accumulated to form small dune systems on either side. Specialised plants such as marram grass and sea bindweed help stabilise these features. Visitors are discouraged from walking on the dune area

Carreg gofeb Corbalengus
The Corbalengus standing stone

© Janet Baxter

Traeth Penbryn
Penbryn Beach

prif atyniad erbyn hyn sy'n wahanol iawn i'r ddeunawfed ganrif pan oedd Penbryn yn denu smyglwyr halen a physgotwyr penwaig. Caiff y dyffryn bach ei adnabod o hyd fel Cwm Lladron. Wrth geg yr afon fach, mae tywod a chwythwyd gan y gwynt wedi cronni i ffurfio systemau twyni tywod bach ar bob ochr i'r afon. Mae planhigion arbenigol megis moresg a thaglys arfor yn helpu i sefydlogi'r twyni hyn. Caiff ymwelwyr eu rhybuddio rhag cerdded ar y twyni gan y bydd hynny'n dinistrio'r llystyfiant ac yn gwneud i'r tywod ddiflannu.

because the vegetation will be destroyed and the sand will disappear.

The complete lack of any shelter for shipping meant that the beach was only useful for small vessels landing limestone and culm (coal-dust) and for fishermen, but local families owned a number of small trading vessels. The story told in a recent history of Ceredigion that at Aber-porth in 1817 a French ship carrying wine was wrecked, to the joy of the locals, several of

Nid oedd unrhyw gysgod ar gael i longau a golygai hynny mai dim ond pysgotwyr a llongau bach a oedd yn dosbarthu calchfaen a glo mân oedd yn defnyddio'r traeth, ond roedd teuluoedd lleol yn berchen ar nifer o longau masnach bach. Mewn llyfr diweddar sy'n croniclo hanes Ceredigion, adroddir stori am long yn cario gwin o Ffrainc a gafodd ei dryllio yn Aber-porth ym 1817 er mawr lawenydd i'r trigolion lleol (ond byrhoedlog fu llawenydd sawl un ohonynt am iddynt farw ar ôl yfed gormod o'r gwin!); fodd bynnag mae'n debyg mai ym Mhenbryn y cafodd y llong ei dryllio mewn gwirionedd.

Saif y maes parcio presennol ar safle plasty Llanborth sydd wedi hen ddiflannu, ond mae'r enw bellach wedi'i roi i Fferm Llanborth sydd gerllaw. Mae'r hanesydd nodedig J. Geraint Jenkins, sy'n arbenigo ar hanes morwrol Cymru, wedi disgrifio bywyd cynnar yr ardal â'i diwydiant bragu, ei thafarndai a'i melin wlân. Mae'n anodd dychmygu nawr pa mor hunangynhaliol oedd yr ardal – roedd ganddi gowper, seiri coed, crydd, melinydd a seiri meini. Roedd llawer o ddynion a

© Melvin Grey

Pibydd y waun *Meadow pipit*

whom died from overindulgence, is misplaced; it actually happened here at Pen-bryn.

The present car-park was once the site of the long-vanished mansion of Llanborth, whose name now belongs to Llanborth farm nearby. The distinguished historian of maritime Wales, J.Geraint Jenkins, has described the earlier life of the area, with its brewing, taverns and woollen mill. It is difficult now to imagine the self-sufficiency of the district, with its own cooper, carpenters, bootmaker, miller and mason. Many men and women followed more than one occupation simultaneously, fishing, farming and practising a craft as the season demanded and need arose.

The next section of the path leads up an ancient trackway

Penbryn i Dre-saith
Penbryn to Tre-saith

menywod yn cyflawni mwy nag un swyddogaeth ar yr un pryd gan bysgota, ffermio ac arfer crefft yn ôl y tymor ac yn ôl yr angen.

Mae rhan nesaf y llwybr yn eich tywys i fyny trac hynafol o faes parcio Llanborth drwy gloddiau a banciau yn gyntaf ac yna ardaloedd o eithin, rhedyn a grug. Wrth i'r llwybr esgyn yn uwch, ceir golygfa dda o'r traeth a'r arfordir y tu hwnt iddo. Mae hwn yn fan da arall i weld ieir bach yr haf: gwrmyn y ddol, y gwibiwr, y peunog, y glesyn cyffredin, yr iâr fach amryliw, y fantell goch ac eraill. Er nad yw rhan nesaf y llwybr sy'n ymestyn o Benbryn i Langrannog yn mesur mwy na dwy filltir, mae'n un o rannau anoddaf y llwybr i gyd gan fod rhaid dringo dwy lethr serth a dod i lawr dwy lethr yr un mor serth yn Nhraeth Bach, sydd wedi'i leoli rhwng Carreg y Nodwydd a Charreg-y-tŷ. Mae Carreg y Morynion (lle dywedwyd bod grup o ferched oedd yn glaf o gariad wedi mynd i foddi eu hunain) i'w gweld islaw hefyd. Mae'r ail lethr yn esgyn i fryngaer arall o Oes yr Haearn, sef Castell-bach, ac mae rhagfuriau'r gaer hon i'w gweld o hyd. Mae

from Llanborth car-park between hedges and banks, then through gorse, bracken and heather, with a fine view of the beach and the coast beyond as one gains height. This is another good spot for butterflies: meadow brown, common skipper, peacock, common blue, tortoiseshell, red admiral and others. From Pen-bryn to Llangrannog is barely two miles, but it is one of the toughest stretches on the whole journey, involving two sharp climbs and two equally sharp descents at Traeth Bach (Little Beach), sandwiched between Carreg y Nodwydd and Carreg-y-tŷ. Carreg y Morynion (Maidens' Rock, where it is said that a group of love-lorn girls went to drown themselves) can also be seen below. The second climb reaches another Iron Age hillfort, Castell-bach, whose ramparts can still be recognised. Peregrines and ravens haunt the 120-metre-high cliffs hereabouts. On the descent into Llangrannog there is a fine nook fitted with public seating prepared to receive a bronze figure of Saint Carannog.

From this point one can admire the Lochtyn peninsula reaching

hebogiaid tramor a chigfrain yn hedfan o gwmpas y clogwyni yn yr ardal hon sy'n rhyw 120 metr o uchder. Ar y ffordd i lawr i Langrannog, ceir cilfach braf â lle eistedd a cherflun efydd o Sant Carannog.

O'r fan hon, gallwch edmygu penrhyn Lochdyn sy'n ymestyn i'r bae. Uwchlaw'r penrhyn, ceir bryn â chopa gwastad a elwir yn Ben y Badell. Ar ddiwedd y penrhyn ceir ynys fach a elwir yn Ynys Lochdyn. Mae'r penrhyn a'r ynys yn ffurfio tirnod hynod a gaiff ei gynrychioli'n rhan o symbol llwybr arfordir Ceredigion. Cadwch i gerdded i lawr y ffordd i'r pentref gan basio odyn galch.

Llwyd bach y ddôl
Gatekeeper

into the bay. Above the peninsula is a flat-topped hill, Pen y Badell; the peninsula itself ends in an islet, Ynys Lochtyn. Together they form a distinctive landmark, represented in the Ceredigion coast path symbol. Continue down the road past the lime-kiln to the village.

Llwyd y ddôl
Meadow Brown

Tud 73. Pen. Traeth Bach
Page 73. Top. Little Beach

Gwaelod. Clogwyni Ordofigaidd Llangrannog
Lower. Ordovician cliffs Llangrannog

I'r de-orllewin o Ynys Lochtyn
South-west of Ynys Lochtyn

Llangrannog i Gei Newydd
Llangrannog to New Quay

SN 310541 - 457601
9.4 m / 15.0 km

Heb os nac oni bai, **Llangrannog** yw pentref arfordirol mwyaf hudolus Ceredigion. Mae'r dyffryn yn gul iawn, felly mae'n anodd iawn parcio yma. Dylai ymwelwyr drefnu eu hymweliad yn ystod cyfnodau tawelaf y flwyddyn lle bo hynny'n bosibl, neu dylent

Llangrannog is surely the most charming of all Ceredigion's coastal villages. Because the valley is so narrow parking is difficult; visitors should choose to come off-season if possible, or arrive early. Facilities include two

Traeth Llangrannog
Llangrannog beach

© Janet Baxter

© Janet Baxter

Llangrannog
Llangrannog

gyrraedd yn gynnar. Mae'r cyfleusterau'n cynnwys dau faes parcio (un wrth ochr y traeth a'r llall wrth ymyl yr eglwys), dwy dafarn, nifer o gaffis, siop a gwasanaeth bws yn ystod yr haf (Gorffennaf, Awst a Medi).

Mae'r pentref wedi'i enwi ar ôl Sant Carannog, ac mae eglwysi wedi'u cysegru i'r Sant hwn yn Llydaw, Cernyw a Gwlad yr Haf hefyd. Yn ôl traddodiad mae'n debygol iawn mai Llangrannog oedd cartref gwreiddiol y Sant yn ystod y chweched ganrif. Adeiladwyd yr eglwys bresennol yn y bedwaredd ganrif ar

car-parks (one beach-side, one inland by the church), two pubs, several cafés, a shop and a summer bus service (July, August, September).

The village is named for St Carannog, to whom churches are also dedicated in Brittany, Cornwall and Somerset. Tradition strongly favours Llangrannog as his original sixth-century home. The present church is 19th century, on the site of an older building. In the cemetery is a memorial to Cranogwen, the pen-name of Sarah Jane Rees

bymtheg ar safle adeilad hwn. Yn y fynwent, ceir cofeb i Sarah Jane Rees (1839-1916), oedd yn defnyddio'r ffugenw Cranogwen, a fu'n athrawes mordwyo i sawl cenhedlaeth o forwyr, yn fardd, yn olygydd ac yn gefnogwr brwd o'r mudiad dirwest. Mae rhan uchaf y pentref o gwmpas yr eglwys yn hwn na'r tai a geir wrth aber afon Hawen. Dim ond yn ystod y bedwaredd ganrif ar bymtheg y codwyd y tai hyn sydd wrth ymyl y traeth, ac mae'r rhan hon o'r pentref bellach yn gwasanaethu twristiaid yn yr un modd ag y bu unwaith yn

(1839-1916), teacher of navigation to several generations of sailors, poet, editor and temperance advocate. The upper 'church village' is older than the houses at the Hawen estuary, the 'beach village' which only came into existence in the 19th century and now services tourists as it once did the flourishing maritime community. The two settlements were gradually united by additional building. Ships were built here, the largest of over 200 tons; the completed hulls were towed to New Quay for fitting out.

Carreg Bica, y stac ar draeth Llangrannog
Carreg Bica, the stack on Llangrannog beach

Gwythien gwarts yng nghreigiau Ynys Lochtyn
Quartz veins in the rocks at Ynys Lochtyn

gwasanaethu'r gymuned forwrol lewyrchus. O dipyn i beth, cafodd yr aneddiadau yn y naill ran o'r pentref a'r llall eu huno gan ragor o waith adeiladu. Roedd llongau'n cael eu hadeiladu yma ac roedd y mwyaf o blith y rhain yn pwyso dros 200 tunnell. Ar ôl i gyrff y llongau gael eu cwblhau, byddent yn cael eu halio i Geinewydd er mwyn eu taclu. Roedd pum odyn galch yn Llangrannog (ac mae un ohonynt i'w gweld o hyd) yn ogystal â nifer o stordai a melin wlân. Yn debyg i Benbryn, roedd

There were five limekilns, of which one still survives, several warehouses and a woollen mill; like Pen-bryn, Llangrannog was a largely self-sufficient community, with prosperous farms roundabout, and from 1820 till 1912 there was a woollen mill powered by the little river. Unlike Pen-bryn the village has kept its own gentry house, Pigeonsford, further up the valley from the church. A distinguished visitor in the early 20th century was the composer Edward Elgar.

Llangrannog yn gymuned hunangynhaliol i raddau helaeth ac roedd ffermydd llewyrchus yn yr ardal. Rhwng 1820 a 1912, roedd melin wlân yn y pentref a oedd yn rhedeg ar ddur o'r afon fach. Yn wahanol i Benbryn, mae'r pentref wedi cadw ei dw bonedd, sef Pigeonsford, sy'n sefyll ychydig ymhellach i fyny'r dyffryn o'r eglwys. Un ymwelydd nodedig â'r pentref yn gynnar yn yr ugeinfed ganrif oedd y cyfansoddwr Edward Elgar.

Ar flaen traeth cyntaf Llangrannog mae Carreg Bica, sef twlpyn mawr o garreg Ordofigaidd sy'n sefyll ar ei thraed ei hun ac sy'n cynrychioli dant poenus Bica'r cawr. Mae'r haenau cerrig cyfagos, a gafodd eu dyddodi ar wely cefnfor coll dros 400 miliwn o flynyddoedd yn ôl, wedi'u plygu'n gywrain dros yr oesoedd gan symudiadau yng nghramen y ddaear. Ceir pyllau glan môr da ar y traeth a nifer o ogofâu. Ar y chwith mae Ogof Halen lle byddai halen wedi'i smyglo'n dod i'r tir, ac ar y dde mae Ogof Niclas ac Ogof Fawr sy'n debyg i dwnnel ac a gafodd ei chloddio yn y gobaith y gellid dod o hyd i fetel. Gellir cyrraedd yr ail draeth, sef Traeth y

© Janet Baxter

Brain Coesgoch *Choughs*

On the foreshore at Llangrannog's first beach is Carreg Bica, the aching tooth of the giant Bica, a great lump of freestanding Ordovician rock. The nearby rock strata, laid down on the bed of a lost ocean over 400 million years ago, have been intricately folded over aeons of time by movements of the earth's crust. There are fine rock-pools and several caves; on the left is Ogof Halen, where smuggled salt was landed; on the right is little Ogof Niclas and the tunnel-like Ogof Fawr, dug in the hope of finding metal. The second beach, Traeth y Cilborth, can be reached easily at low tide, less easily by a steep path over the headland which begins the next part of the coast path. The coves further along, Traethau Ysgland, Porth Henri and Carreg Ifan, are inaccessible, as is Traeth y Bilis,

© Janet Baxter

Ynys Lochtyn
Ynys Lochtyn

© Gerald Morgan

Cilborth, yn hawdd pan fo'r llanw'n isel neu gellir dilyn llwybr serth dros y penrhyn ond mae hynny'n fwy anodd. Y llwybr hwn yw man cychwyn rhan nesaf llwybr yr arfordir. Nid oes modd cyrraedd y cildraethau ymhellach i fyny'r arfordir, sef Traethau Ysgland, Porth Henri, Carreg Ifan a Thraeth y Bilis. Mae Traeth y Bilis wedi'i enwi ar ôl y bilidowcar sy'n cael ei wala o benwaig sy'n silio ym mis Hydref.

Y llwybr. Yng nghornel gogledd-ddwyreiniol y traeth, gellir gweld cymuned o blanhigion sy'n

named for the cormorants (W. bilidowcars) which glut themselves in October on spawning herrings.

The Path. At the north-east corner of the beach can be seen a typical maritime plant

nodweddiadol o ardal forol: llyriaid arfor, llyriaid corn carw, amranwen, gludlys arfor a thaglys arfor. Mae'r planhigion hyn i gyd yn gallu gwrthsefyll yr amodau garw a'r heli. Mae llwybr yr arfordir yn codi'n serth yn y fan hon gan eich arwain uwchlaw Traeth y Cilborth tuag at benrhyn Lochdyn. Uwchlaw'r llwybr, saif bryngaer Pen y Badell. Yn ystod yr haf, caiff y llethrau eu gorchuddio ag eithin mân, grug y mêl, teim a thresgl y moch. Dim ond pan fo'r llanw'n uchel y caiff yr ynys ei datgysylltu wrth y tir

community: sea plantain, buckshorn plantain, mayweed, sea campion and sea bindweed, all able to withstand the harsh and salty conditions. Here the coast path rises steeply, leading above Traeth y Cilborth towards the Lochtyn headland with the hill-fort, Pen y Badell above. In summer the slopes are rich in western gorse, bell-heather, thyme and tormentil. Ynys Lochtyn is only cut off at high tide; in late spring numerous herring gulls nest hereabouts. Rounding the headland and

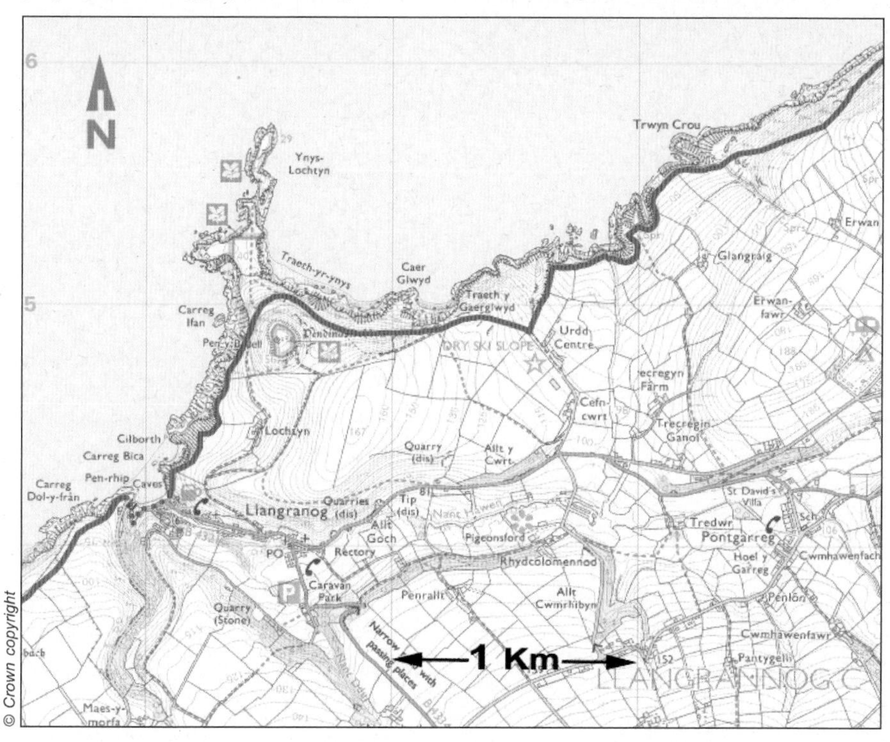

© Janet Baxter

Yr arfordir o bentir Ynys Lochtyn i Gei Newydd
The coast from Ynys Lochtyn to New Quay

mawr. Yn hwyr yn y gwanwyn, mae gwylanod y penwaig yn nythu yn yr ardal. Wrth fynd o gwmpas y penrhyn a dilyn y llwybr dros y poncyn nesaf, gellir gweld Gwersyll yr Urdd Llangrannog sy'n eiddo i Urdd Gobaith Cymru. Mae'r gwersyll ardderchog hwn yn darparu amrywiaeth o weithgareddau cyfrwng Cymraeg drwy'r flwyddyn ar gyfer plant o bob cwr o Gymru, ac mae'n cyflogi llawer o bobl leol hefyd.

Mae gweddill y daith gerdded i Gwmtudu yn drawiadol ond yn

following the path over the next rise, one comes in sight of the admirable Llangrannog centre for Welsh-language activities belonging to Urdd Gobaith Cymru, the Welsh League of Youth, which provides not only a wide variety of all-year activities for children from all over Wales, but valuable employment for local people.

The rest of the walk to Cwmtydu is spectacular but tough, demanding a good head for heights. From the Urdd centre the path leads down to a series

© Melvin Grey

Hebog tramor gyda chywion
Peregrine with chicks

anodd, ac yn dipyn o heri i'r rheiny sydd ag ofn uchder! O ganolfan yr Urdd, mae'r llwybr yn eich tywys i lawr at gyfres o glogwyni urddasol, creigiau a gaiff eu golchi gan y môr a rhaeadr uchel. Gallwch weld nodwedd hynod Trwyn Crou yn ymestyn i'r môr wrth i chi gerdded i'r gogledd-ddwyrain. Yn y fan hon, gall cerddwyr gael eu twyllo gan draciau defaid nad ydynt yn arwain i unrhyw le, felly dylech dalu sylw arbennig i'r arwyddion. Mae'r llwybr, sydd wedi'i dorri i mewn i lethr hir ac arswydus Hirallt, yn esgyn yn

of fine cliffs, seawashed rocks and a high waterfall; the peculiar snout of Trwyn Crou pushes out in the sea as you begin to press on north-eastwards. Here the walker can be deceived by sheep-tracks into reaching dead-ends, so you should pay particular attention to the signs. Gradually the path rises, cut into the long and fearsome slope of Hirallt. High above the path and set back from the cliffs is the farm of Cilie. Here at the turn of the 20th century grew up the remarkable family of Welsh poets and mariners, known collectively

Yr arfordir o Gwmtydu a'r llwybr newydd
View from Cwmtydu and the new path

raddol. Yn uchel uwchlaw'r llwybr ac ychydig bellter o'r clogwyni saif Fferm y Cilie. Ar y fferm hon ar droad yr ugeinfed ganrif y magwyd teulu go arbennig o feirdd Cymraeg a morwyr a elwir yn Fois y Cilie. Cafodd y gof, y ffermwr a'r bardd Jeremiah Jones (a fu farw ym 1902) ddeuddeg o blant ac o blith y saith bachgen, roedd chwech ohonynt yn feirdd dawnus a lwyddodd i feistroli'r grefft draddodiadol o gynganeddu. Aeth sawl un ohonynt i'r môr gan nad oedd modd iddyn nhw i gyd aros gartref ar y fferm. Mae rhai

as Bois y Cilie. Blacksmith-farmer-poet Jeremiah Jones (d. 1902) fathered twelve children, and of the seven boys, six were poets skilled in the traditional Welsh metres; several of them took to the sea, since there was no room for them in farming. Some of Jeremiah's descendants still live locally, while one, the well-known troubadour and politician Dafydd Iwan, is known throughout Wales. Another, Jon Meirion Jones, has published valuable studies of the family's

o ddisgynyddion Jeremiah yn dal i fyw yn lleol tra bod un ohonynt, y trwbadur a'r gwleidydd Dafydd Iwan, yn adnabyddus ar draws Cymru. Mae un arall o ddisgynyddion y Cilie, sef Jon Meirion Jones, wedi cyhoeddi astudiaethau gwerthfawr o hanes a chyflawniadau'r teulu. Yn y man, mae'r llwybr yn troi i mewn tua'r tir oddi wrth y clogwyni er mwyn mynd i lawr i Gwmtydu.

history and achievements. The path eventually turns inland from the cliffs in order to descend by a long downward slope to the road into Cwmtydu.

Cwmtydu. This delightful little valley offers a good starting/ finishing point for walkers, with toilets and limited parking, and refreshments in summer, but like most Ceredigion beaches it can

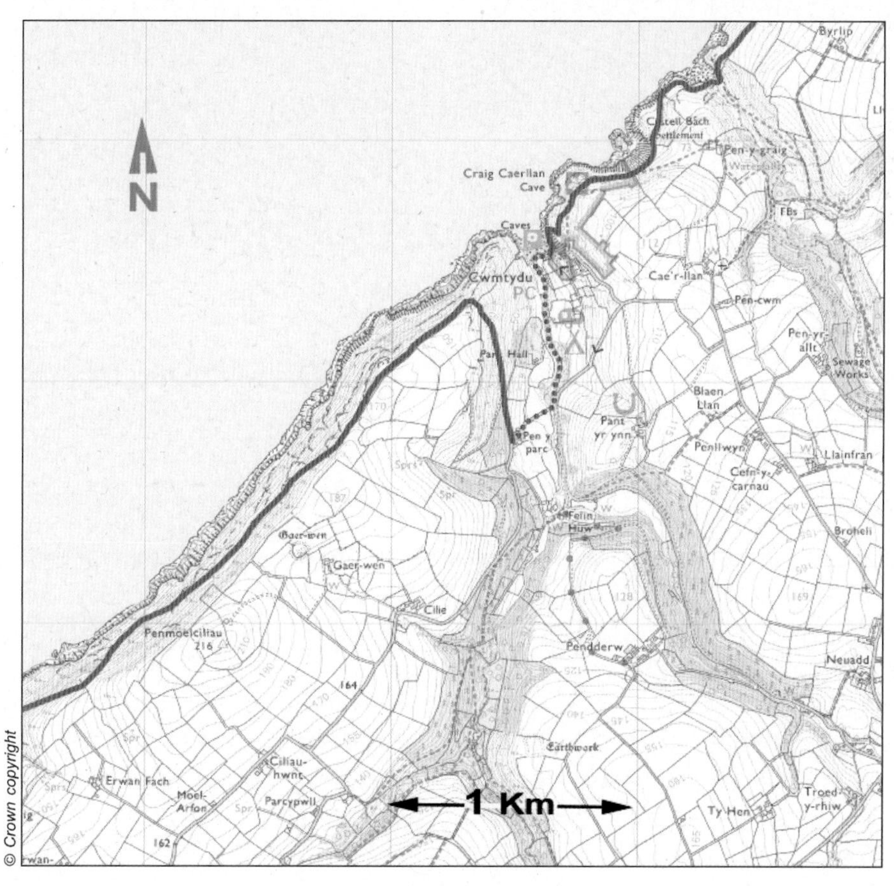

Yr arfordir ysblennydd tua'r gogledd o Gwmtydu
The splendid coastline north from Cwmtydu

Cwmtydu. Mae'r dyffryn hyfryd hwn yn fan cychwyn/gorffen da ar gyfer cerddwyr gan fod toiledau a pheth lle parcio ar gael yma ynghyd â lluniaeth yn ystod yr haf. Ond, fel y rhan fwyaf o draethau Ceredigion, mae'n gallu bod yn llawn yn ystod mis Awst. Mae'n bosibl bod yr enw'n gysylltiedig â sant anadnabyddus o Lydaw, sef Sant Tudu, ond Tysilio yw'r sant lleol ac mae'r eglwys fach sy'n sefyll rhyw hanner milltir o'r arfordir wedi'i chysegru iddo. Mae'r traeth wedi'i gysylltu'n draddodiadol â

become crowded in August. The name may just possibly be connected with an obscure Breton saint, Tudu, but the local saint is Tysilio, to whom the little church half a mile inland is dedicated. Tradition associates the beach with coastal smuggling, which is certainly true, but wild stories about German U-boats taking on fresh water here should be treated with scepticism. The folded rock formations which embrace the little bay seem similar in nature

© Janet Baxter

Pen Dinas Lochtyn o Gwmtydu.
Pen Dinas Lochtyn from Cwmtydu.

smyglo ac mae'n sicr bod hyn yn wir. Fodd bynnag, ni ddylid rhoi gormod o goel ar straeon mawr am longau tanfor o'r Almaen yn cael cyflenwadau o ddur ffres yng Nghwmtudu. Mae'r ffurfiannau cerrig plyg sy'n amgylchynu'r bae bach yn debyg i'r rheiny a ddisgrifir yn Llangrannog, ond cerrig Silwraidd yw'r rhain sy'n deillio o gyfnod ychydig yn ddiweddarach. Ceir cerflun cain o forlo ar y promenâd bychan gerllaw'r odyn galch sydd wedi'i hadnewyddu, ac mae'r cerflun hwn yn ein hatgoffa bod morloi yn dod i gildraethau anghysbell Ceredigion i gael eu lloi bach.

to those described at Llangrannog, but are Silurian, a somewhat later formation. There is a fine sculpted figure of a seal on the tiny promenade next to the restored lime-kiln, a reminder that seals come to Ceredigion's inaccessible coves to give birth, and may often be seen off more popular beaches in calm weather, apparently sunbathing in the water, looking around to see what's what. Atlantic grey seals breed on isolated beaches from south of Aberystwyth to Cardigan Island. Pups are born between August and October; males grow to 2.7 metres, while females are smaller. Anyone

© Janet Baxter

Cwmtydu
Cwmtydu

Pan nad oes gormod o donnau, mae morloi i'w gweld yn aml yn agos i draethau mwy poblogaidd yn ymddangos fel pe baent yn torheulo yn y dŵr ac yn edrych o'u cwmpas i weld beth sy'n digwydd. Mae morloi llwyd yn bridio ar draethau anghysbell o'r

Odyn galch, Cwmtydu
Lime kiln, Cwmtydu

© Ceredigion

encountering a pup by itself should leave it strictly alone, since its mother will be away fishing to maintain its supply of rich milk. In calm sunny weather seals may be seen a few yards out to sea floating for apparent pleasure, their heads like black cones on the water, occasionally peering round.

The path runs past the restored lime kiln and athwart the slope onto National Trust land, then over the headland of Craig Caer-llan, giving fine views around the bay. Below is a large rocky knoll which is almost an island, and

de i Aberystwyth hyd at Ynys Aberteifi. Caiff y lloi bach eu geni rhwng mis Awst a mis Hydref. Mae morloi gwrywaidd yn tyfu i fesur rhyw 2.7 metr tra bod morloi benywaidd yn llai o faint. Dylai unrhyw un sy'n dod ar draws llo bach ar ei ben ei hun ei adael yn llonydd ar bob cyfrif; mae'n debyg y bydd ei fam i ffwrdd yn pysgota er mwyn cynnal ei chyflenwad o laeth maethlon. Pan fo'r haul yn tywynnu a'r môr yn llonydd mae'n ddigon cyffredin gweld morloi yn y môr ychydig lathenni o'r traeth yn ymddangos fel pe baent yn cael hwyl wrth arnofio ar y dŵr â'u pennau fel conau du ar y dŵr wrth iddynt droi i syllu o'u cwmpas o bryd i'w gilydd.

Mae'r llwybr yn rhedeg heibio i'r odyn galch sydd wedi'i hadnewyddu ac ar draws y llethr i dir yr Ymddiriedolaeth Genedlaethol cyn mynd dros benrhyn Craig Caer-llan gan roi golygfeydd godidog o gwmpas y bae. Islaw'r llwybr, ceir bryncyn creigiog mawr sydd bron yn ynys, ac yn union y tu hwnt i'r bryncyn hwn mae olion rhagfuriau Castell Bach, sef caer bentir o Oes yr Haearn. Wrth ddilyn y llwybr ar hyd y clogwyni, fe ddewch i

© Janet Baxter

Morlo a'i llo
Seal and pup

immediately beyond are the remaining ramparts of an Iron Age promontory fort, Castell Bach. Along the cliffs one soon reaches Traeth Soden, with a vigorous stream flowing down from the village of Nanternis. Here the walker can choose to return to Cwmtydu by a loop-path inland through Cwm Soden. The National Trust is working here to secure the survival of the pearl-bordered fritillary, an attractive orange-patterned butterfly becoming rare in Wales. Initial scrub on this loop path eventually becomes the attractive fern-filled woodland of Byrlip (National Trust). Bearing right at signposts, the path leads up to Pen-y-graig farm and across undisturbed soil rich in autumn fungi to rejoin the path

Penrhyn a chaer Castell Bach
Castell Bach promontory & fort

Draeth Soden lle ceir nant fyrlymus sy'n llifo o bentref Nanternis. Yn y fan hon gallwch ddewis dychwelyd i Gwmtudu trwy ddilyn llwybr dolen drwy Gwm Soden. Mae'r Ymddiriedolaeth Genedlaethol yn gweithio yn yr ardal hon i sicrhau bod y fritheg berlog yn goroesi. Iâr fach yr haf brydferth â phatrwm oren pert yw hon sy'n dechrau mynd yn brin yng Nghymru. Wrth fynd ar hyd y llwybr dolen hwn mae'r prysgoed sydd i'w gweld ar ddechrau'r llwybr yn troi'n goetir prydferth o'r enw Byrlip (Yr Ymddiriedolaeth Genedlaethol) sy'n llawn rhedyn. Gan droi i'r dde wrth yr

south of Castell Bach.

Inland from Cwmtydu is the little settlement of Llwyndafydd, with a friendly pub. Here there was a mansion, long vanished, whose owner Dafydd ab Ifan entertained Henry Tudor on his 1485 march to win the crown of England at Bosworth. Other Ceredigion houses claim a similar privilege, but this is the one with the best foundation.

Walking onward from Cwmtydu takes one along some of Ceredigion's finest cliffs. There are fierce slopes into and out of Cwm Coubal (*ceubal* – a

Craig y Deryn *Bird Rock*

© Janet Baxter

Craig y Deryn
Bird Rock

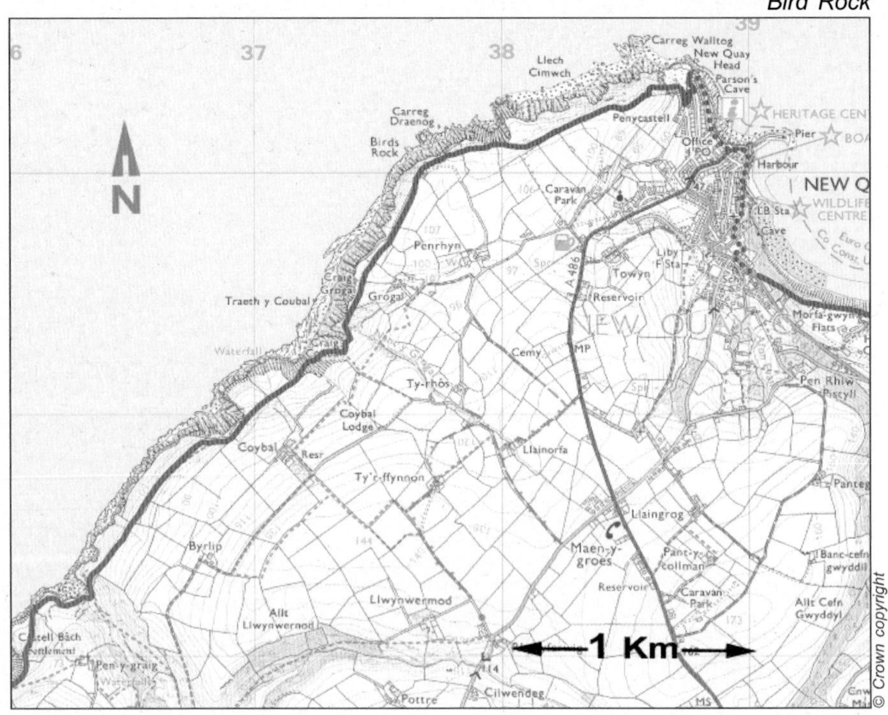

arwyddbyst, mae'r llwybr yn eich tywys i Fferm Pen-y-graig ac ar draws ardal o bridd sydd heb ei droi ac sy'n llawn ffyngau'r hydref. Yna, mae'r llwybr yn ailymuno â llwybr yr arfordir i'r de o Gastell Bach.

Nid nepell o arfordir Cwmtudu mae pentref bach Llwyndafydd sydd â thafarn gyfeillgar. Ar un adeg roedd plasty yn y pentref hwn (ond mae wedi hen ddiflannu bellach), ac roedd perchennog y plasty, sef Dafydd ab Ifan, wedi croesawu Harri Tudur i'w dw pan oedd hwnnw ar ei daith i gipio coron Lloegr ym mrwydr Bosworth ym 1485. Mae plastai eraill yng Ngheredigion yn honni eu bod wedi cael yr un anrhydedd, ond mae mwy o sail i gredu bod honiad y plasty hwn yn wir.

© Janet Baxter

Gwylanod Coesddu ar Graig y Deryn
Kittiwakes on Bird Rock

small fishing-boat) and then along more great cliffs to a restored look-out shelter above Craig y Deryn (Bird Rock). This is Ceredigion's most important breeding place for seabirds, with breeding colonies of guillemots, razorbills, kittiwake gulls and fulmars.

Gwylog a Llurs yn cadw cwmni
Guillemot and Razorbill keeping company

© Janet Baxter

Mae'r llwybr o Gwmtudu yn eich tywys ar hyd rhai o glogwyni mwyaf godidog Ceredigion. Mae llethrau serth iawn yn eich tywys i lawr i Gwm Coubal (*ceubal* – cwch pysgota bach) ac yn ôl i fyny. Yna mae'r llwybr yn mynd ar hyd mwy o glogwyni gwych i wylfan wedi'i hadfer, sy'n sefyll uwchlaw Craig y Deryn. Dyma ardal fridio bwysicaf Ceredigion ar gyfer adar y môr, a cheir nythfeydd o wylogod, llursod, gwylanod coesddu ac adar drycin y graig.

Yna, ar y ffordd i Gei Newydd, mae'r llwybr yn mynd heibio i chwarel ac yn esgyn uwchlaw ffatri prosesu pysgod. Mae'r ffatri hon yn prosesu chwalcod a physgod cregyn eraill yn bennaf i'w hallforio. Mae twffiau o lyrlys yn tyfu ar y garreg amlwg a geir yn y môr gerllaw ac o'r herwydd fe'i gelwir yn Garreg Walltog.

© Janet Baxter

Mulfrain Gwyrdd *Shags*

The path leads onwards and down past a quarry and above a small fish-processing factory to New Quay (*Cei Newydd* in Welsh); the factory deals mainly in whelks and other shellfish for export. The prominent sea-rock nearby carries tufts of samphire which have given it the name Carreg Gwalltog.

Mulfrain *Cormorants*

© Janet Baxter

Bae Cei Newydd
New Quay Bay

Cei Newydd i Aberaeron
New Quay to Aberaeron

SN 457601 - 457627
6.5 m / 10.5 km

Glanfa gerrig syml oedd y **cei newydd** gwreiddiol a adeiladwyd tua 1696 gan ffermwyr lleol a oedd yn ymwneud â physgota – nid oedd pentref ar gael o gwbl ar y pryd. Mae'r cei yn dal i sefyll – wedi'i orchuddio â choncrid – ar draeth y gogledd ger gorsaf y bad achub a adeiladwyd ym

The original **new quay** was a simple stone jetty built about 1696 by local farmers with fishing interests; at the time there was no village at all. The quay still survives, well concreted, on the north beach by the lifeboat station of 1904. Shipbuilding

Cei Newydd
New Quay

© Janet Baxter

1904. Dechreuodd y gwaith o adeiladu llongau yng Ngheinewydd yn ystod y 1770au ac erbyn 1800, roedd bywyd morwrol bywiog yn datblygu. Yn wir, argymhellwyd y dylai pentref Cei Newydd gael ei ddewis yn bacborth ar gyfer pecynnau a oedd yn cael eu cludo i Iwerddon gan ei fod yn agosach i Lundain na Chaergybi neu Abergwaun. Sefydlwyd gwylfa bwrpasol i geisio atal smyglo. Y dynion a oedd yn gweithio i wasanaethau gwrth-smyglo'r llywodraeth a sefydlodd wasanaeth gwylwyr y glannau (1822) yn y pen draw, ac felly ychwanegwyd achub bywydau at eu cyfrifoldebau eraill.

began in the 1770s, and by 1800 a vigorous maritime life was developing. It was even advocated that New Quay, being nearer to London than either Holyhead or Fishguard, should become a packet station for Ireland. A revenue watch-station was established to counteract smuggling. From among the men who staffed the government's anti-smuggling services eventually emerged the Coastguard service (1822), which added lifesaving to its other responsibilities.

The present fine stone pier was built on Pen-y-wig reef in 1836

Harbwr a thraeth y Cei Newydd
New Quay harbour and beach

Diolch i grŵp o dirfeddianwyr, adeiladwyd y pier cerrig urddasol presennol ar rîff Pen-y-wig ym 1836 ar ôl i Ddeddf Harbwr Cei Newydd gael ei phasio. Roedd cerrig yn cael eu cludo ar dram a dynnwyd gan geffylau o'r chwarel sydd uwchlaw'r ffatri bysgod bresennol, a dyma oedd tarddiad yr enw Rock Street. Mae darn o'r ffordd dramiau hon wedi'i gadw ger pen gogleddol y stryd. Roedd y pier wedi helpu Cei Newydd i gystadlu ag Aberystwyth ac Aberteifi fel canolfan bwysig ar gyfer adeiladu llongau ac ymhen amser, roedd gan y porthladd ei gwmni yswiriant llongau a'i wneuthurwyr hwyliau ei hun.

Adeiladwyd cannoedd o slŵps a sgwneri yma yn ogystal â sawl llong fawr - nifer ohonynt ar ben gogleddol Traeth Gwyn. Byddai rhai seiri yn adeiladu nifer o longau ond byddai rhai eraill ond yn adeiladu un llong at eu defnydd eu hunain efallai, gan gyflogi'r crefftwyr yr oedd eu hangen arnynt o blith cymuned Cei Newydd o seiri llongau, gwneuthurwyr rhaffau a gwneuthurwyr hwyliau. Yn ogystal ag adeiladu llongau, roedd bob amser gwaith cynnal a chadw i'w wneud ar longau yn yr

after the passage of the New Quay Harbour Act, on the initiative of a group of landed gentry. Stone was brought by horse-tram from the quarry above the present fish-factory, giving its name to Rock Street; a piece of the tramway is preserved near the northern end of the street. The pier helped New Quay to compete with Aberystwyth and Cardigan as an important shipbuilding centre, having eventually its own shipping insurance company and sail-lofts.

Hundreds of sloops, schooners and several large barques were built here, many at the northerly end of Traeth Gwyn. Some shipbuilders built many vessels, others might undertake to build a single vessel for themselves, hiring the skilled labour necessary from New Quay's community of shipwrights, rope-and-tackle makers and sailmakers. As well as building ships, there was always maintenance work to be done on vessels in harbour, which was greatly facilitated when a patent slipway was constructed in 1862 close to the site of the present lifeboat station. It was powered

© Janet Baxter

Harbwr Cei Newydd.
New Quay harbour.

harbwr, a hwyluswyd y gwaith hwn yn fawr pan adeiladwyd llithrfa batent ym 1826 yn agos i'r man lle mae gorsaf y bad achub heddiw. Roedd y llithrfa hon yn cael ei gyrru gan injan ager, ac roedd hyn yn golygu bod modd gwneud gwaith cynnal a chadw ar longau eithaf mawr - yn union fel pe baent mewn doc sych. Fodd bynnag, roedd y defnydd cynyddol a wnaed o longau haearn a dŵr a oedd yn cael eu gyrru gan ager ynghyd â dyfodiad y rheilffordd yn Llambed ac Aberystwyth wedi arwain at ddirywiad ym mywyd morwrol

by a steam engine, enabling quite large vessels to be treated as if in dry-dock. However, the increasing use of steam-powered iron and steel shipping, with the arrival of the railway at Lampeter and Aberystwyth, meant a decline in Welsh maritime life. The last New Quay ship was built in 1878, and the last survivor of them all was the *Clarita*; built in 1870, she sailed until 1930. The New Quay Patent Slip Company was wound up in 1890. Well into the 20th century hundreds of New Quay men followed the sea for

Cymru. Adeiladwyd y llong ddiwethaf yng Ngheinewydd ym 1878 ac o blith yr holl longau a adeiladwyd yn yr harbwr, y *Clarita* oedd yr olaf i roi'r gorau i hwylio. Adeiladwyd y *Clarita* ym 1870 a pharhaodd i hwylio tan 1930. Daeth *The New Quay Patent Slip Company* i ben ym 1890. Ymhell i mewn i'r ugeinfed ganrif, aeth cannoedd o ddynion o Geinewydd i'r môr i ennill eu bywoliaeth, a phenodwyd y mwyaf medrus o'u plith yn brif forwyr ac yn gapteiniaid llongau. Dychwelodd y rheiny a fu'n ddigon ffodus i allu ymddeol i Geinewydd i fyw, a byddent yn eistedd mewn rhesi ar feinciau cyhoeddus pan oedd yr haul yn disgleirio.

Er bod angorfa Cei Newydd yn cael ei chysgodi'n dda rhag prifwyntoedd y gorllewin, nid oedd unrhyw amddiffyn ar gael rhag y dymestl hunllefus a darodd ar 25 Hydref 1859. Yn ystod y storm honno, diflannodd y goleudwr cadarn ar y pier a chafodd wyth llong yn yr harbwr eu dryllio neu'u difrodi'n wael. Adeiladwyd goleudwr arall yn lle'r hen un, a llwyddodd hwn i oroesi hyd nes i dymestl fawr arall

their living; the ablest of them became master mariners and ships' captains, and those who survived till retirement would remake their homes here, sitting in rows on public benches when the sun shone.

Although the New Quay anchorage is well sheltered from prevailing westerly winds, there was no protection from the nightmare gale of 25 October 1859, when the sturdy beacon on the pier vanished and eight ships in harbour were wrecked or badly damaged. The replacement light beacon survived until another great storm in 1937. It was following the 1859 disaster that the RNLI eventually agreed to establish a lifeboat here in 1864.

Before 1900 tourism had begun to provide an alternative source of wealth and by now is the village's main source of income, which means in effect that, unlike Aberaeron, New Quay is extremely quiet in winter. Fishing for crabs, lobsters and whelks continues, utilising the little factory already described, and there are admirable boat trips from the quay in season to see the splendid cliffs, birdlife and

© Janet Baxter

Jeti Penpolion *Penpolion jetty*

daro'r harbwr ym 1937. Mae'n debyg mai yn dilyn trychineb 1859 y cytunodd yr RNLI yn y pen draw i sefydlu bad achub yma ym 1864.

Roedd twristiaeth wedi dechrau datblygu'n ffynhonnell arall o arian i'r pentref cyn 1900 ac erbyn hyn, twristiaeth yw prif ffynhonnell incwm y pentref. Mae hyn yn golygu bod Cei Newydd yn hynod o dawel yn ystod y gaeaf, yn wahanol iawn i Aberaeron. Mae'r arfer o bysgota am grancod, cimychiaid a chwalcod yn parhau a defnyddir y ffatri fach a ddisgrifiwyd eisoes i brosesu'r helfa. Yn ogystal, mae teithiau cychod ardderchog yn

seals, and dolphins; the latter sometimes come right into the harbour. There is a busy car-park above Traeth y Dolau beach and another up Hill Street. New Quay offers bus services, pubs, restaurants and accommodation. The parish church is dedicated to Llwchaiarn, another of the obscure Welsh saints who taught Christianity to the local people in the sixth and seventh centuries.

On the quay is the Council-run Cardigan Bay Boat Place (open from spring to late autumn) with wildlife displays; of particular interest is the live camera link to breeding seabirds on Bird Rock

© Janet Baxter

Dolffiniaid trwyn potel
Bottle-nosed dolphins

gadael y cei yn ystod tymor y gwyliau sy'n rhoi cyfle i ymwelwyr weld y clogwyni trawiadol, adar a morloi, a dolffiniaid. Mae dolffiniaid yn dod i mewn i'r harbwr weithiau hefyd. Ceir maes parcio prysur uwchlaw Traeth y Dolau, ac mae maes parcio arall ar Hill Street. Mae Cei Newydd yn cynnig gwasanaeth bws, tafarndai, bwytai a lleoedd i aros. Mae eglwys y plwyf wedi'i chysegru i Llwchaiarn, un arall o seintiau anadnabyddus Cymru a gyflwynodd Gristnogaeth i'r bobl leol yn ystod y chweched a'r seithfed ganrif.

Ar y cei, mae Man Cychod Bae Ceredigion a gaiff ei redeg gan y cyngor (oriau agor cyfyngedig) ac sy'n cynnwys arddangosfeydd

and basking grey seals. Near the lifeboat station the Cardigan Bay Marine Wildlife Centre (open 10-3 in season) also maintains a range of information about many aspects of Ceredigion's southerly coast, as well as details of its marine surveys.

New Quay's main beach is Traeth Gwyn, east of the main quay. It is backed by an extraordinary formation of boulder clay or till, glacial rubble from the last Ice Age. More fluid by nature than other clay deposits further north, the banks are constantly on the move. They may be ugly to look at and useless for building any kind of structure upon them, but to a geologist they are fascinating.

o fywyd gwyllt, gyda chysylltiad camera â'r adar sy'n nythu ar Graig yr Adar. Gerllaw gorsaf y bad achub mae Canolfan Bywyd Gwyllt Morol Bae Ceredigion (ar agor o 10am – 3pm yn ystod tymor y gwyliau), ac mae'r ganolfan hon yn cadw ystod o wybodaeth am sawl agwedd ar arfordir deheuol Ceredigion yn ogystal â manylion ynghylch ei harolygon morol.

Prif draeth Cei Newydd yw Traeth Gwyn sy'n gorwedd i'r dwyrain o'r prif gei. Yn gefndir iddo mae ffurfiant anhygoel o glai clogfaen, sef rwbel rhewlifol o'r Oes Iâ ddiwethaf. Mae'r clai clogfaen hwn yn llai caled a chadarn na'r dyddodion clai eraill sydd ymhellach i'r gogledd, ac felly mae'r banciau hyn yn symud drwy'r amser. Efallai eu bod yn bethau hyll yr olwg ac na ellir adeiladu unrhyw fath o strwythur arnynt, ond maent yn hynod o ddiddorol i ddaearegwyr!

Mae enwogrwydd llenyddol Cei Newydd wedi'i seilio'n gyfan gwbl ar gysylltiad y pentref â Dylan Thomas yn enwedig yn ystod y 1940au cynnar pan dreuliodd amser ym Mhlas Llanina sydd gerllaw a Phlas Gelli ger Tal-

© Janet Baxter

Cewyll Cimychiaid yng Nghei Newydd
Lobster pots at New Quay

New Quay's claim to literary fame rests on its association with Dylan Thomas, especially during the early 1940s when he spent time at Plas Llanina nearby and at Plas Gelli near Tal-sarn, and when he lived at Majoda, a little shack on the road from Llanina to New Quay, now rebuilt as a substantial bungalow. A notorious incident in March 1945 saw a

sarn, a phan fu fyw yn Majoda, sef cwt bach ar y ffordd rhwng Llanina a Cheinewydd sydd bellach wedi'i ailadeiladu'n fyngalo mawr. Yn ystod digwyddiad enwog ym mis Mawrth 1945, roedd capten comando meddw wedi saethu bwledi o wn Sten at y tw pan oedd Dylan a'i wraig y tu mewn, a hynny er mwyn dial am ffrae flaenorol. Yn ystod ei gyfnod yn yr ardal, ysgrifennodd Dylan ei sgets gyntaf, sef *Quite Early One Morning*, a'r sgets hon oedd y man cychwyn ar gyfer *Under Milk Wood* sydd wedi'i ddylanwadu'n fawr gan ei brofiadau yng Nghei Newydd. Mae'r llyfr a gyhoeddwyd gan David N. Thomas yn 2002, sef *The Dylan Thomas Trail*, yn egluro perthynas Dylan â'r ardal yn fanwl.

Y llwybr. O Geinewydd, mae'r llwybr y byddwch yn ei ddilyn yn dibynnu ar y llanw. Gan amlaf, gellir dilyn y traeth o'r brif lanfa, gan basio islaw'r Ganolfan Bywyd Gwyllt Morol a gorsaf y bad achub a thros y 'cei newydd' gwreiddiol a adeiladwyd ym 1696. Yna, mae'n mynd heibio i'r banciau gleision o glai clogfaen a ddisgrifiwyd eisoes hyd nes eich bod yn cyrraedd Trwyn Llanina. Os yw'r llanw'n rhy uchel i

drunken commando captain spraying the house with Sten gun bullets when Dylan and his wife were there, in retaliation for a previous altercation. It was during this period that he wrote the first sketch, *Quite Early One Morning*, which developed into *Under Milk Wood*, strongly influenced by his New Quay experiences. David N. Thomas's 2002 book, *The Dylan Thomas Trail*, sets out Dylan's relationship with the area in detail.

The Path. Onwards from New Quay, your route is determined by the tide. Most of the time one can follow the beach from the main jetty, passing below the Marine Wildlife Centre and the Lifeboat station and over the original 'new quay' of 1696, and past the blue banks of glacial clay already described, until you reach Llanina Point. If the tide is too high for this passage to be safe, then walk from the jetty up Glanmor Terrace. Immediately before the Black Lion, turn left into an alley and follow it along until you emerge from Pilot Lane onto the main road. Turn left and walk on until you reach Brongwyn Lane. At this point, if

ganiatáu i chi ddilyn y traeth yn ddiogel, cerddwch o'r lanfa i fyny Glanmor Terrace. Yn union cyn y Black Lion, trowch i'r chwith i lawr Pilot Lane gan barhau i gerdded hyd nes eich bod yn cyrraedd y briffordd. Trowch i'r chwith ac ewch yn eich blaen hyd nes eich bod yn cyrraedd Brongwyn Lane. Yn y fan hon, os yw'r llanw ar drai, ewch i lawr i'r traeth heibio i goedwig gymunedol Maes-y-pwll ar y dde gan fynd yn eich blaen i Drwyn Llanina. Os nad yw hynny'n ddoeth, rhaid i chi ddilyn y ffordd a throi i'r chwith ger yr arwydd ar gyfer Llanina. Nid oes pafin i'w gael ar rannau helaeth o'r daith hon, felly byddwch yn ofalus.

the tide has fallen, descend to the beach past the Maes-y-pwll community woodland on your right and continue to Llanina Point. If this is not advisable, then you need to follow the road and turn left at the sign for Llanina. Much of this route is without pavements; please be careful.

If you have come along the beach to Llanina Point, alas no longer haunted as it once was by a mermaid who warned a fisherman of a coming tempest, turn inland along the little river Llethi till you reach the road. To your right is a car-park and pleasant Llanina woods, with

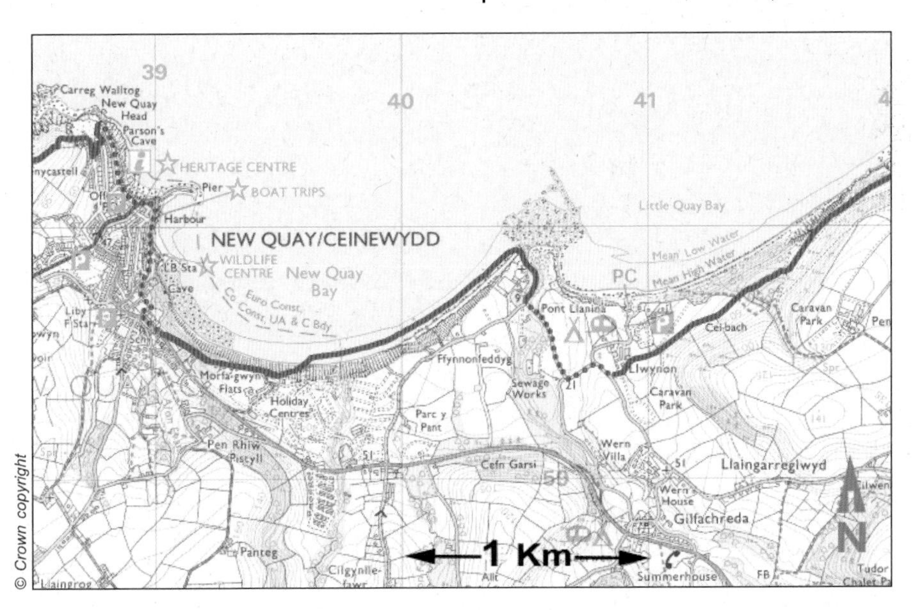

© Janet Baxter

Môrwenoliaid pigddu
Sandwich terns

Os ydych wedi cerdded ar hyd y traeth i Drwyn Llanina (nad yw'n gyrchfan mwyach i fôr-forwyn a aeth yno unwaith i rybuddio pysgotwr ynghylch storm), trowch tua'r tir ar hyd afon fach Llethi hyd nes i chi gyrraedd y ffordd. Ar y llaw dde ceir maes parcio a choedwig ddymunol Llanina. Mae'r goedwig hon yn agored i gerddwyr, ac mae'n cynnwys adfeilion fferm a melin ddur. O ddilyn tro sydyn i'r dde, ceir llwybr troed sy'n mynd heibio i'r plasty preifat sydd wedi'i adnewyddu (tw bonedd o'r ail ganrif ar bymtheg yn wreiddiol) tuag at eglwys Llanina (eglwys syml a ailadeiladwyd yn ystod oes Fictoria).

Os ydych wedi cerdded ar hyd y ffordd i'r fan hon, gallwch droi i

open access for walkers and a ruined farm and watermill. Even sharper right is a footpath past the restored private mansion (originally a 17th century gentry home) to Llanina church (a simple Victorian rebuild),

If you have reached this point by road, you can turn down to see Llanina point, or the church, or simply continue along the road. Following the path signs you reach a T-junction. If time allows, go left down to the splendid Cei Bach beach. If not, skip the following paragraphs.

Cei Bach means Little Quay, though no quay is visible, but the

lawr i weld Trwyn Llanina neu'r eglwys, neu gallwch barhau i gerdded ar hyd y ffordd. Gan ddilyn yr arwyddion ar y llwybr, byddwch yn dod i gyffordd siâp T. Os oes amser gennych, trowch i'r chwith i lawr i draeth hyfryd Cei Bach. Os nad oes gennych ddigon o amser, anwybyddwch y paragraffau sy'n dilyn.

Cei Bach. Er gwaetha'r enw, nid oes cei i'w weld yn un man, ond roedd y traeth yn arfer bod yn brysur gyda llongau hwylio bach. Cafodd yr odynau calch a oedd yn arfer sefyll uwchlaw'r traeth eu dinistrio ar ôl i'r clogwyni clai gael eu herydu. Bellach, er gwaetha'r ffaith nad oes llawer o leoedd parcio a chyfleusterau ar gael, mae Cei Bach yn draeth poblogaidd sy'n ymestyn am dros filltir i'r gogledd o bentir coediog pan fo'r llanw'n isel. Peidiwch â cheisio cerdded ar hyd y traeth yr holl ffordd i Gilfachyrhalen oherwydd ceir dau bentir sy'n sefyll rhyw gilomedr ar wahân, a phrin iawn y gellir eu croesi hyd yn oed yn ystod gorlanwau isel iawn.

Ar un adeg, roedd pedair odyn galch yng Nghei Bach a oedd i gyd yn cael eu defnyddio, ond

© Janet Baxter

Pibyddion coesgoch
Redshank

beach was once busy with small sailing ships. Erosion of the clay has destroyed the lime kilns that stood above the shore. Cei Bach is now, despite the limited parking and facilities, a popular beach stretching north from a wooded promontory for over a mile at low tide. Do not attempt to walk the beach all the way to Gilfachyrhalen – there are two headlands a kilometre apart which are hardly passable even at very low spring tides.

Cei Bach once had four limekilns in full production, but little remains of any of them. The fuel for the kilns was coal; as well as producing quicklime, the kiln-workers used coaldust mixed

nid oes llawer o'u holion i'w gweld heddiw. Glo oedd y tanwydd a ddefnyddiwyd i danio'r odynau calch hyn ac yn ogystal â chynhyrchu calch brwd, arferai'r gweithwyr ddefnyddio glo mân wedi'i gymysgu â chlai a chalch i gynhyrchu peli tanwydd i'w defnyddio yn y cartref. Ar ben pellaf y traeth ceir clogwyn sy'n 50 metr o uchder a elwir yn Graig Ddu. Mae gerddi naturiol o deim gwyllt, clustogau Mair, briweg y cerrig, plucen felen a llyriad yn ffynnu ar y clogwyn hwn. Mae'n anodd dychmygu bod y *Syren*, llong fawr a oedd yn pwyso 291

with clay and lime to produce fuel-balls for home use, known in Welsh as pe-le. At the far end of the beach is the 50-metre cliff called Craig-ddu, where natural gardens of wild thyme, thrift, stonecrop, kidney vetch and plantain flourish. It is hard to imagine that on this splendid spread of sand was built a 291-ton barque, the *Syren*, wrecked in 1887.

Returning to the 'T' junction, from Llanina point bear right before turning left through an old farmyard. At first the path is level, running through trees; then it

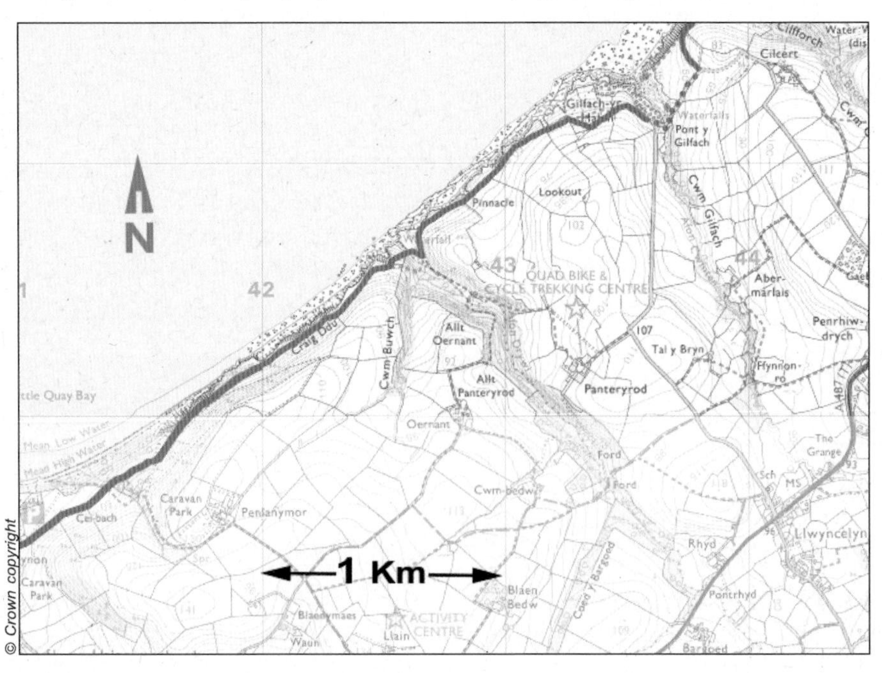

tunnell ac a gafodd ei dryllio ym 1887, wedi'i hadeiladu ar y llain odidog hon o dywod.

Ewch yn ôl at ygyffordd T, ac o bentir Llanina ewch i'r dde cyn troi i'r chwith drwy hen fuarth fferm. Mae'r llwybr yn wastad i ddechrau ac yn rhedeg drwy ardal o goed; yna, mae'n dechrau codi'n raddol ac yn dod allan o'r coed gan roi golygfeydd godidog dros y Bae. Ar y pwynt uchaf uwchlaw Craig Ddu, ceir bryncyn glaswelltog lle gallwch eistedd i lawr a chael picnic cyn ei throi hi lawr y llethr esmwyth

starts to climb gently and emerges from the woods to give splendid views over the Bay. At the highest point, above Craig Ddu, there is a grassy bank on which to sit and picnic before going gently downward to the attractive ravine of Cwm Buwch, where a vigorous stream hurls itself onto the inaccessible beach.

Then the path rises steeply again for a short while, before levelling out above the low cliffs towards **Gilfachyrhalen**. *Cilfach* is a cove, while *halen* (salt) may refer to the landing of salt, a regular

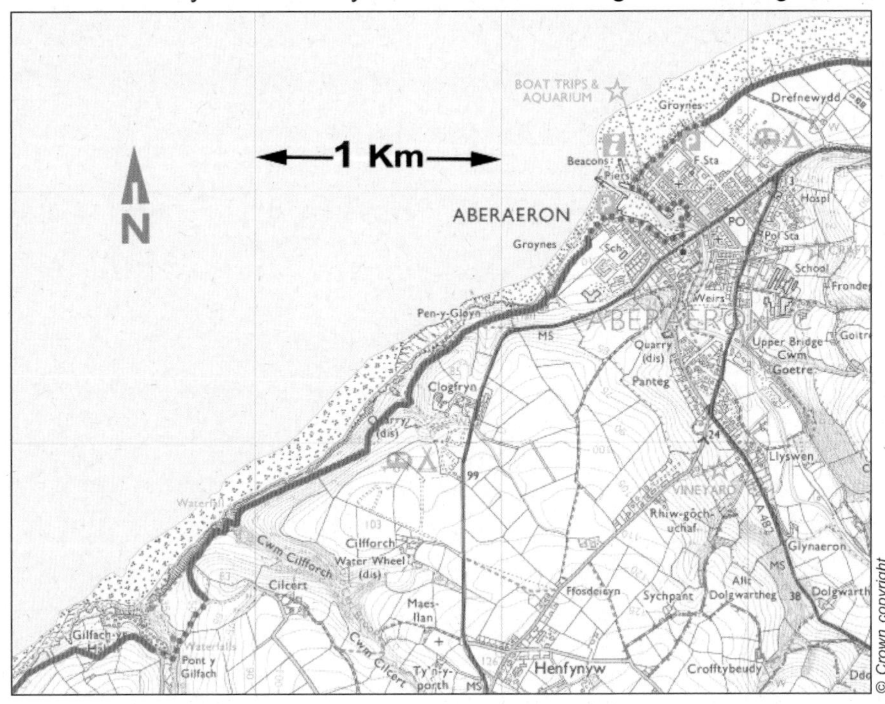

tuag at geunant prydferth Cwm Buwch, lle mae nant fyrlymus yn syrthio ar y traeth anhygyrch islaw.

© Janet Baxter

Gwylanod cefnddu lleiaf
Lesser black-backed gulls

Yna, mae'r llwybr yn esgyn yn serth unwaith eto am ychydig cyn dod yn fwy gwastad uwchlaw'r clogwyni isel sy'n arwain at **Gilfachyrhalen**. Efallai bod yr enw'n cyfeirio at yr halen a oedd yn arfer dod i'r tir yn yr ardal hon, oherwydd roedd halen yn gargo rheolaidd a oedd yn cael ei fewnforio'n gyfreithlon ac yn anghyfreithlon i'r sir er mwyn

Clogwyno ir de-orllewin o Aberaeron
Cliffs southwest of Aberaeron

© Jeremy Moore

Clogwyni clai Gilfach yr Halen
Clay cliffs, Gilfach yr Halen

halltu pysgod a chig. Mae'r llwybr yn eich tywys i lawr i'r hyn sydd bellach yn bentref cabanau/ fflatiau gwyliau. Ar ôl dringo am ychydig lathenni, cadwch i'r chwith gan fynd i lawr ar draws y bont gerrig bert. Yn y fan hon, gallwch droi'n sydyn i'r chwith er mwyn mynd i lawr i'r traeth i weld y clogwyni clai anhygoel sydd wedi'u herydu gan y môr. Fel arall, cadwch i'r dde gan fynd i fyny ar hyd y trac tarmac. Gadewch y tarmac pan welwch arwydd sy'n dangos llwybr i'r chwith, a throwch i'r dde i mewn i'r cae ar unwaith gan gadw'n agos i'r ffens i ddechrau cyn dilyn y llwybr lletraws ar draws y cae.

cargo imported both legally and illegally into the county for preserving fish and meat. The path runs downward into what is now a holiday apartment/chalet village. After a few yards uphill, bear left and downwards across the attractive stone bridge. Here one can turn sharp left down to the beach to see the extraordinary undercut cliffs of clay. Otherwise bear right up along the tarmac track. Leave the tarmac at the path sign leftwards and immediately turn right into the field, keeping at first to the fence, then following the path diagonally across the field.

Yn gyntaf, byddwch yn cyrraedd pant braf â nant fechan y gallwch neidio ar ei thraws. Yna, mae'r llwybr yn codi ar hyd llethr esmwyth gan arwain at bant arall sy'n llawn llwyfenni iach.

First one reaches a delightful dingle with a little stream to jump across. Up then and along a gentle slope to the next dingle filled with a grove of healthy elm trees.

Mae'r llwybr yn esgyn unwaith eto ac yn dod i lawr heibio i fyngalos a swyddfeydd Cyngor

Uphill again and down past bungalows and the Ceredigion

Clogwyni i'r de -orllewin o Aberaeron
Cliffs southwest of Aberaeron

© Janet Baxter

Hen dŷ pwyso calch
Old lime weigh house

Sir Ceredigion cyn cyrraedd y tw pwyso calch a'r clwb hwylio yn Aberaeron. O'r de, mae'r llwybr yn cyrraedd y tw bach lle'r oedd calch yn arfer cael ei bwyso gan droi i'r dde cyn y clwb hwylio. Mae'r llwybr yn croesi'r afon Aeron dros bont droed bren sy'n eich tywys i ganol y dref.

county offices to the little lime-weighing house and yacht club at Aberaeron. From the south the path reaches the little lime-weighing house, turning right before the yacht club. The path crosses the Aeron by a timber footbridge to the town centre.

Harbwr Aberaeron
Aberaeron Harbour

Aberaeron i Llanrhystud
Aberaeron to Llanrhystud

SN 457627 - 538697
7.4 m / 11.9 km

Er nad oes unrhyw adeiladau hanesyddol o bwys yn **Aberaeron**, mae'n werth ymweld â chanol y dref a'r ardal sydd ar lan y dŵr er mwyn gweld un o'r enghreifftiau prin yng Nghymru o dref a gynlluniwyd yn ôl arddull chwaethus cyfnod y Rhaglywiaeth, ac mae'r modd y mae llawer o'r adeiladau wedi'u

While there is no major historic building in **Aberaeron**, the whole central area and water front is worth visiting as a rare Welsh example of a planned town in good Regency taste, reinforced by the pleasant colour-washing of many buildings. A local claim that the great Welsh architect

Rhesdai Belle Vue
Belle Vue Terrace

paentio'n lliwgar yn ychwanegu at hyn. Mae honiadau lleol mai'r pensaer enwog o Gymru, John Nash, oedd yn gyfrifol am y gwaith cynllunio hwn yn anghywir. Fodd bynnag, Nash *oedd* yn gyfrifol am gynllunio'r ystâd hyfryd yn Llannerch Aeron sydd ryw ddwy filltir i ffwrdd o'r arfordir (Yr Ymddiriedolaeth Genedlaethol). Mae'n werth ymweld â'r lle hwn, a gallwch wneud hynny gan ddilyn llwybr troed/beicio yr holl ffordd.

Cyn 1805, nid oedd unrhyw beth yn Aberaeron ar wahân i rai bythynnod a oedd wedi'u lleoli gerllaw pont rhai cannoedd o fetrau o'r dŵr. Crëwyd yr harbwr a'r dref gan Alban Thomas Gwynne, tirfeddiannwr cyfoethog lleol, drwy ddeddf Seneddol breifat ym 1807. Datblygodd y dref yn gyntaf fel porthladd bach gyda chyfleusterau adeiladu llongau, ac yn ddiweddarach tyfodd yn ganolfan dwristaidd brysur. Mae bwytai, tafarndai a lleoedd da i aros ynghyd â siopau a gwasanaeth bws ar gael yn y dref. Ceir arwyddion o Neuadd y Sir ymlaen sy'n dangos y ffordd i doiled cyhoeddus bach, ac mae canolfan groeso i ymwelwyr ar y cei.

John Nash was responsible for the design is false. However, Nash *did* design the delightful estate-villa at Llanerchaeron two miles inland (National Trust), well worth a visit; there is a foot-and cycle-path all the way.

Before 1805 there was nothing here but a few cottages near a bridge several hundred metres inland. The harbour and town were the creation of a wealthy local landowner, Alban Thomas Gwynne, by private act of parliament in 1807, and developed first as a small port, complete with shipbuilding, and later as a busy tourist centre. The town offers good restaurants, pubs and accommodation, shopping and bus services. There is a small public toilet signed from the County Hall, and a Tourist Information Office on the quay.

The town never developed quite such a full a maritime life as did New Quay, but ships were built on the southern side of the harbour, now a grassy bank. Local investors did attempt to keep up with the times: in 1863, they launched the Aberaeron Steam Navigation Company Ltd, later refounded as the Aberaeron

© Janet Baxter

Pwll Cam *Pwll Cam*

Ni lwyddodd y dref i ddatblygu bywyd morwrol mor llawn â Chei Newydd, ond adeiladwyd llongau ar ochr ddeheuol yr harbwr sydd bellach yn fryncyn glaswelltog. Roedd buddsoddwyr lleol wedi ceisio symud gyda'r oes: ym 1863, aethant ati i lansio'r *Aberaeron Steam Navigation Company Ltd* a gafodd ei ailsefydlu'n ddiweddarach dan yr enw *Aberaeron Steam Packet Company*, a bu'r cwmni hwn yn llwyddiannus tan y Rhyfel Byd Cyntaf. Mae gweithgarwch morwrol y dref bellach wedi'i gyfyngu i ychydig o bysgota a llawer o dripiau pleser y mae'r clwb hwylio yn ganolbwynt iddynt. Ni wireddwyd gobeithion Cei Newydd o gael rheilffordd

Steam Packet Company, which flourished until the First World War. Maritime activity is now confined to a little fishing and a good deal of pleasure boating, centred on the sailing club. New Quay's hopes of having a light railway never materialised, but from 1911 until 1951 a passenger service operated from Aberaeron to Lampeter.

The Aeron is the first serious river the path has met since the Teifi. At most times it seems small enough, but it can be formidable when in spate. It once flowed somewhat to the north of its present bed and was permanently diverted to fill the

ysgafn, ond bu gwasanaeth i deithwyr yn rhedeg rhwng Aberaeron a Llambed o 1911 tan 1951.

Yr Aeron yw'r afon sylweddol gyntaf y mae'r llwybr wedi dod ar ei thraws ers gadael y Teifi. Mae'n ymddangos yn afon ddigon bach gan amlaf, ond mae'n gallu bod yn nerthol iawn pan fo llif ynddi. Ar un adeg, roedd yr afon yn llifo rywfaint i'r gogledd o'i gwely presennol, ond dargyfeiriwyd yr afon yn barhaol er mwyn llenwi'r harbwr – yn ystod cyfnodau o lanw uchel o leiaf. Fel rheol, dywedir bod yr enw'n dod o enw duwies ryfel y Celtiaid, ac mae'n hawdd iawn credu hynny pan fo'r afon yn gorlifo. Fodd bynnag, rhaid cofio hefyd mae 'aeron' yw'r gair Cymraeg am '*berries*'.

Mae'r llwybr yn gadael tref Aberaeron drwy gei'r gogledd gan fynd heibio i Westy'r Harbourmaster a throi i'r dde ger y ganolfan groeso cyn mynd ar hyd y promenâd ger maes parcio traeth y gogledd. Mae'r llwybr yn mynd â chi ar hyd ardal o raean ac ar hyd ymyl y clogwyni clai isel sy'n cael eu herydu'n raddol. Mae'n bosibl cerdded ar hyd y

© Tricia O'Kane

Un o fythynnod Aberaeron
An Aberaeron cottage

harbour – at high tide anyway. The name is usually explained as deriving from the name of the Celtic war-goddess, which you can well believe when the river is flooding, though it could derived from the Welsh word *aeron*, meaning 'berries'.

The Path leaves Aberaeron town via the north quay past the Harbourmaster inn, turning right by the tourist information centre along the promenade by the North Beach car-park. The path leads along a shingle stretch and then onward via the path along

traeth cerrig hefyd, ond mae'n well gwneud hynny yn ystod llanw sy'n troi gan fod gorlanwau uchel yn cyrraedd y clogwyni clai. Yn yr hydref yn enwedig, mae'r ardal hon yn lle da i wylio adar, boed yn wylanod neu'n adar hirgoes, ac mae'n lle da i ddaearegwyr drwy'r flwyddyn oherwydd hanner ffordd i Aber-arth, ceir ffurfiannau rhyfeddol o dywod, clai a cherrig mân rhewlifol yn y clogwyni is. Mae effeithiau prosesau erydu yn boenus o amlwg yn yr ardal hon, felly cymerwch ofal arbennig wrth gerdded ar ben y clogwyn.

Mae'r llwybr yn cyrraedd pentref **Aber-arth** yn y man – un o'r pentrefi bach mwyaf deniadol ar yr arfordir, yn enwedig os byddwch yn mynd i mewn i ganol y pentref yn hytrach na chael cipolwg arno o'r briffordd. Er mwyn ffeindio'ch ffordd drwy lonydd cul y pentref, dilynwch eich trwyn i'r bont droed fach dros afon Arth ac yna cadwch i'r chwith. Wrth y fforch nesaf yn y ffordd, cadwch i'r dde a byddwch yn cyrraedd rhan nesaf yr arfordir. Roedd mynachdy Ystrad-fflur yn berchen ar felin ddur a hawliau pysgota yn y pentref hwn. Mae'n debygol mai

the edge of the low clay cliffs, which are slowly eroding away. It is also possible to walk along the pebbled beach, better done on a falling tide, since spring high tides reach the clay cliffs. In autumn especially this shore is good for birdwatching, both of gulls and waders, and it is good for geologists at any time, since halfway to Aber-arth there are remarkable formations (lenses) of glacial sand, clay and pebbles in the low bluffs. Erosion here is painfully evident; take great care on the clifftop section.

The path eventually reaches the village of **Aber-arth**, one of the most attractive little villages on the coast, especially if viewed from within rather than from the main road. To negotiate the narrow village lanes, follow your nose to the little footbridge over the river Arth and bear left. At the next fork, bear right and you will reach the next section of the coast. At Aber-arth Strata Florida monastery had a water-mill and fishing rights. It is likely that Aber-arth served as the landing-place for the fine building stones used in the arches and doorways of Strata Florida abbey, which must have been dragged or

I'r gogledd o Aberaeron, yn dangos hen gei llongau a gored
North of Aberaeron, showing an old shipping quay and fish-trap

Aber-arth *Aber-arth*

yn Aber-arth y glaniodd y cerrig adeiladu cain a ddefnyddiwyd o gwmpas drysau ac ym mwâu abaty Ystrad-fflur, ac mae'n rhaid bod y cerrig hyn wedi cael eu llusgo neu'u cludo o'r arfordir ar hyd y ffordd a elwir yn Lôn Lacs. Roedd aber bach afon Arth a'r traethau cyfagos yn brysur o ganlyniad i waith adeiladu llongau hyd nes i dref Aberaeron gael ei chreu a hyd yn oed ar ôl hynny hefyd. Yn debyg i'r Aeron, mae afon Arth yn gallu bod yn nerthol pan fo llif ynddi, gan gyfiawnhau ei henw drwy chwyrnu dros y creigiau fel arth. Mae eglwys blwyf Llanddewi, lle ceir carreg fedd hobgefn ryfedd (Llychlynnaidd?) yn ogystal â

carted inland along the route known as Lôn Lacs ('the muddy way'). The little estuary of the Arth and the beaches nearby were busy with shipbuilding until and even after the creation of Aberaeron. Like the Aeron, the Arth can be fierce in spate, justifying its name by growling over the rocks like a bear. The parish church of St David, with its strange hogback (?Viking) gravestone as well as two ornamented Christian stones, is high on the hill above the village, but its tower can be seen from the beach on the way here. Buses serve the village, but there is no shop, pub or toilet.

dwy garreg Gristnogol addurnedig, yn sefyll yn uchel ar y bryn uwchlaw'r pentref, ond gellir gweld tur yr eglwys o'r traeth wrth i chi gerdded. Mae bysus yn pasio drwy'r pentref, ond ni cheir siop, tafarn na thoiledau cyhoeddus.

Ategwyd y gwaith adeiladu llongau yn y pentref gan ddwy felin brysur a ddefnyddiai ddur o'r afon. Roedd un o'r melinau hyn yn cynhyrchu grawn ac roedd y llall yn cynhyrchu gwlân. Roedd odynau calch a gweithdai gwneuthurwyr olwynion yn y pentref hefyd. Mae'r pentref yn dawel heddiw – caewyd drysau'r

Shipbuilding work here was supplemented by two busy mills exploiting water from the river, one for corn, one for working wool, and there were lime-kilns and wheelwrights' workshops here. All is now quiet; the last of half-a-dozen pubs closed nearly a century ago; even the primary school is long shut.

The Path from Aber-arth rises steadily, giving good views south-westward; on reaching the second kissing gate it bears leftward into vegetation rather than continuing on the farm-stock trail. When the tide is right one

Goredi *Fish traps*

© Ceredigion

Morfa Mawr

olaf o ryw hanner dwsin o dafarndai bron i ganrif yn ôl ac mae hyd yn oed yr ysgol gynradd wedi cau ers tro.

Mae'r llwybr o Aber-arth yn codi'n raddol gan gynnig golygfeydd da i'r de-orllewin ac ar ôl cyrraedd yr ail giât mochyn, mae'n troi i'r chwith tuag at ardal o lystyfiant yn hytrach na pharhau i ddilyn y trac a grëwyd gan anifeiliaid fferm. Gellir gweld olion nifer o drapiau pysgod neu 'goredi' ar hyd y lan pan fo'r

Morfa Mawr

can see along the shore for several miles the remains of a number of fish-traps (*goredi* in Welsh) at low tide or when the water is clear. These long arcs of large stones have remained in place for centuries; they were foundations on which wattle fences could be erected (and frequently replaced) to catch fish on a dropping tide, when the sea's harvest was much richer than it is today; several remained in use until early in the 20th

llanw'n isel neu pan fo'r dŵr yn glir. Mae'r bwâu hir hyn o gerrig mawr wedi aros yn eu lle ers canrifoedd, a'r bwâu hyn oedd y sylfeini yr oedd ffensys pleth yn cael eu codi (a'u hailgodi) arnynt er mwyn dal pysgod pan oedd y llanw'n gostwng. Defnyddiwyd y trapiau hyn ar adeg pan oedd cynhaeaf y môr yn llawer cyfoethocach nag y mae heddiw, ac roedd nifer ohonynt yn dal i gael eu defnyddio yn gynnar yn yr ugeinfed ganrif. Byddai trapiau o'r fath wedi diwallu rhai o anghenion mynachod Ystrad-fflur a oedd yn berchen ar rannau o'r lan yn y fan hon ac ymhellach i'r gogledd.

O fryn Craig-ddu uwchlaw Morfa-mawr, ceir golygfa fendigedig o ran nesaf y llwybr. I'r dde o'r A487, ar ochr y tir, ceir llethrau serth o glogwyni ffosil a ffurfiwyd ymhell cyn Oes yr Iâ; i'r chwith o'r briffordd, ar ochr y môr, mae'r caeau sy'n ymestyn yr holl ffordd i Lanrhystud yn rhai a grëwyd gan ddyddodion rhewlifol. Mae'r ardal hon o dir gweddol wastad rhwng y môr a'r A487 yn ymestyn i'r gogledd-ddwyrain am dros ddwy filltir a dyma'r tir amaethyddol gorau yng Ngheredigion. Roedd cnydau ardderchog o farlys yn cael eu

century. Traps like these would have supplied some of the needs of the monks of Strata Florida, who owned stretches of the foreshore here and further north.

From Graig-ddu hill above Morfa Mawr there is a wonderful view of the next section of the path. To the landward side of the A487 are the steep slopes of 'fossil cliffs', formed long before the Ice Age; the fields on the seaward side of the main road all the way to Llanrhystud are glacial deposits. This more or less level land between the sea and the A487 reaches northeastwards for more than two miles, forming the best agricultural land in Ceredigion. Excellent crops of barley were grown here year after year, supplying among other consumers the illicit local brewers who are said to have regularly cheated the Crown excise officials.

All this land, once owned by Rhys ap Gruffudd ('the Lord Rhys') who in the 12th century ruled Ceredigion as part of the kingdom of Deheubarth, was given by him and his sons to the Church. Morfa Mawr itself as far as the river Cledan became a

Bwncath Buzzard

Barcud coch Red kite

tyfu yma flwyddyn ar ôl blwyddyn ac ymhlith y sawl oedd yn prynu'r barlys hwn oedd bragwyr anghyfreithlon lleol y dywedwyd eu bod wedi twyllo swyddogion tollau'r Goron yn rheolaidd.

Roedd yr holl dir hwn unwaith yn eiddo i Rhys ap Gruffudd ('yr Arglwydd Rhys') a fu'n

grange of the monastery of Strata Florida; from the Cledan to the Peris was owned by the bishop of St David's, while the area between the Wyre and the river Peris became the property of the Knights of the Hospital of St John at Jerusalem (the Knights Hospitaller). All the

Llan-non ar y gwastadedd arfordirol
Llan-non set in the coastal plain

Lleiniau Morfa Esgob
The slangs of Morfa Esgob

llywodraethu Ceredigion yn ystod y ddeuddegfed ganrif fel rhan o deyrnas y Deheubarth. Rhoddodd yr Arglwydd Rhys a'i feibion y tir hwn i'r eglwys. Cafodd Morfa-mawr ei hun – mor bell ag afon Cledan – ei droi yn fferm oedd yn perthyn i fynachlog Ystrad-fflur. Roedd yr ardal rhwng afon Cledan ac afon Peris yn eiddo i Esgob Tyddewi, a rhoddwyd yr ardal rhwng afon Wyre ac afon Peris i Farchogion Ysbyty Sant Ioan yn Jerwsalem (Marchogion yr Ysbyty). Yn ddiweddarach, meddiannwyd eiddo Ystrad-fflur a Marchogion yr Ysbyty gan Harri VIII.

properties of both Strata Florida and the Knights Hospitaller were seized by Henry VIII.

Morfa Mawr itself bears no trace today of its history. The monastic grange was sold after the Reformation to the Devereux family and by them to the Vaughans of Trawsgoed, the greatest estate in the county, and became the most valuable farm on the whole estate. Eventually it became the property of the University at Aberystwyth and the historic old farmhouse was

Nid oes unrhyw olion ar ôl ym **Morfa-mawr** heddiw o hanes y lle. Yn dilyn y Diwygiad Protestannaidd, gwerthwyd fferm y mynachdy i deulu Devereux ac yn ddiweddarach i'r teulu Vaughan o Drawsgoed a oedd yn berchen ar y stad fwyaf yn y sir. Mae'n debyg mai Morfa-mawr oedd y fferm fwyaf gwerthfawr ar y stad i gyd. Yn y pen draw, daeth y fferm yn eiddo i Brifysgol Aberystwyth a dinistriwyd yr hen dw fferm hanesyddol mewn dim o dro. Yn ffodus, fodd bynnag, mae rhai o baneli derw hynafol y tw i'w gweld yn Amgueddfa Ceredigion yn Aberystwyth. Dywedir bod yr hen dw fferm hwn ymhlith y nifer o dai yr oedd Harri Tudur wedi cysgu ynddynt ar ei daith o Sir Benfro i Bosworth ym 1485. O'r llwybr, mae'n hawdd gweld mwy o'r trapiau pysgod a welwyd yn gynharach yn ogystal ag olion glanfa wedi'i gwneud o gerrig a phren. Mae'n hawdd cyrraedd y lanfa ei hun, ond mae'n anodd cyrraedd y trapiau pysgod o ganlyniad i'r creigiau sydd wedi'u gorchuddio â gwymon – cymerwch ofal!

Bydd cerddwyr sy'n anelu tua'r gogledd o Forfa-mawr yn cyrraedd Llan-non ym Melin-y-

summarily destroyed, but fortunately some of its ancient oak panelling survives in the Ceredigion Museum at Aberystwyth. It is said to have been one of the houses in which Henry Tudor slept on his march from Pembrokeshire to Bosworth in 1485. From the path it is easy to see more of the fish-traps already encountered, as well as the remains of a stone and timber jetty. The jetty itself is easily reached, but the fish-traps here are made difficult of access by the weed-covered rocks – you have been warned!

The northbound walker from Morfa Mawr reaches Llan-non at Felin-y-môr ('sea-mill') where the river Cledan reluctantly dribbles into the sea through a bank of pebbles. At this point the official coastal path follows a minor road inland to the A487 close to the southern edge of the village. Left turn over the bridge and take the second left down Heol yr Eglwys, reaching Llansanffraid church. It is however possible to continue from the river along the ankle-bruising shingle to a fine steel flight of 27 steps leading up to the top of the low cliff of glacial till. Then one can experiment

môr lle mae'r Cledan yn treiglo'n anfoddog i'r môr drwy gefnen o gerrig mân. O'r fan hon ymlaen, mae llwybr swyddogol yr arfordir yn dilyn isffordd tua'r tir gan ymuno â'r A487 yn agos i ymyl deheuol y pentref. Trowch i'r chwith dros y bont a chymerwch yr ail droad i'r chwith i lawr Heol yr Eglwys gan gyrraedd eglwys Llansanffraid. Fodd bynnag, mae modd parhau i gerdded ar hyd y cerrig mân (sy'n waith anodd i'r migyrnau) gan gyrraedd 27 o risiau dŵr sy'n arwain i ben y clogwyn isel o glog-glai rhewlifol. O'r fan hon, gallwch arbrofi trwy ddilyn y we o lwybrau troed cyhoeddus sy'n eich tywys drwy'r dwsinau o leiniau tir gwastad a ddisgrifir isod. Unwaith eto, gallwch anwybyddu'r grisiau hyn gan frwydro'ch ffordd ar hyd y cerrig mân garw hyd nes y byddwch yn cyrraedd set arall o risiau. Yna, mae'r llwybr yn troi tua'r tir i eglwys a phentref Llansanffraid a ddisgrifir isod.

Gelwir yr ardal gyfan rhwng afon Cledan ac afon Peris yn **Morfa Esgob**. Rhwng y briffordd a'r môr, ceir rhyw 140 o'r lleiniau o dir yr oedd taeogion Esgob Tyddewi yn arfer gweithio arnynt yn ystod yr Oesoedd Canol er

with the web of public footpaths that lead through the dozens of slangs described below. Again, it is possible to ignore these steps and simply struggle on along the rugged shingle to another set of steps, where the path turns inland to Llansanffraid church and settlement.

The whole area between the rivers Cledan and Peris is known as **Morfa Esgob** ('the Bishop's Strand'). Between the main road and the sea are preserved some 140 of the strips of land (variously knowns as rip-fields, slangs or furlongs, and in Welsh as *lleiniau*) which in the medieval period were worked for the benefit of the bishop of St David's by his bondmen or serfs. Many of the strips are slightly S-curved, probably because centuries ago they were ploughed by teams of oxen which were difficult to turn at the end of each furrow. The strips have survived apparently because the bishops lost their hold on the land, perhaps in the confusion of the Black Death in 1349, perhaps later, and they must have been taken over not by a local landlord but by some of the individuals who had

© Janet Baxter

Eglwys Llansanffraid
Llansanffraid church

mwyn gwneud elw i'r Esgob. Mae nifer o'r lleiniau hyn wedi'u ffurfio rhywfaint ar siâp S a hynny, mae'n debyg, am eu bod - ganrifoedd yn ôl - yn cael eu haredig gan dimau o ychen a oedd yn ei chael hi'n anodd troi ar ddiwedd pob cwys. Mae'n debyg bod y lleiniau hyn wedi goroesi am fod yr esgobion wedi colli'u gafael ar eu tir, a hynny efallai yn ystod dryswch y Pla Du ym 1349 neu wedi hynny. Mae'n rhaid bod y lleiniau hyn wedi'u meddiannu gan rai o'r unigolion a oedd wedi gweithio arnynt neu hyd yn oed sgwatwyr ac nid gan

worked them, or even by squatters. Consequently there has always been a plethora of owners, each jealous of his own land, and though there has in the past been a good deal of straggly housebuilding, the landscape is now protected. Unfortunately the hills roundabout are not high enough or close enough to give a view of this remarkable landscape from above. It can be seen best by walking on the footpaths among the strips between the main village and the sea.

berchnogion tir lleol. O ganlyniad, mae'r lleiniau tir hyn bob amser wedi bod yn eiddo i lu o wahanol berchnogion ac roedd pob un ohonynt yn ofalus iawn o'i dir ei hun. Er bod cryn dipyn o waith adeiladu wedi digwydd hwnt ac yma yn y gorffennol, caiff y dirwedd hon ei hamddiffyn bellach. Yn anffodus, ni ellir cael golygfa dda o'r dirwedd hynod hon o'r bryniau sydd o gwmpas am nad ydynt yn ddigon uchel nac yn ddigon agos. Y ffordd orau o weld y dirwedd hon yw trwy gerdded ar hyd y llwybrau troed rhwng y lleiniau sydd wedi'u lleoli rhwng y prif bentref a'r môr.

Mae **Llan-non** yn cynnig nifer o wasanaethau: gwasanaeth bws, tafarndai, garej betrol, siop gyffredinol, dau gigydd, ysgol gynradd a chyfleusterau gwely a brecwast. Mae'r capel Methodistaidd, a ddefnyddir yn rheolaidd ar y Sul ond sydd braidd byth ar agor fel arall gwaetha'r modd, yn cynnwys gwaith bendigedig o bren pinwydd ac arwydd sy'n arddangos y gorchymyn 'Cofiwch y Morwyr'. Ychydig lathenni o'r A487, ceir bwthyn Cymreig nodweddiadol sydd wedi'i ddodrefnu yn ôl arddull y

Llan-non offers a number of services: buses, public houses, petrol, a general shop and two butchers, a primary school and bed-and-breakfast. The Methodist chapel, regularly used on Sundays but otherwise rarely open alas, contains splendid pinewood carpentry and a sign reminding all: *Cofiwch y Morwyr* – remember the seafarers. A few yards from the A487 is a typical Welsh cottage, furnished in 19th style, belonging to Ceredigion Museum. During August it is open 2-4 from Tuesday to Friday and on Sunday. Next door are the ruins of a Tudor building, Neuadd, and close by is an unmarked site sometimes claimed to be the original *llan* or church-site dedicated to Non, mother of St David, from which the village takes its name. A severely worn sheela-na-gig (an obscene female stone figure) was found here and is now in the Ceredigion Museum at Aberystwyth.

Visitors will notice that many local signs, as well as the website *www.llanon.org.uk,* spell the village name without a hyphen and a single 'n'. Recent O.S. maps prefer the

bedwaredd ganrif ar bymtheg. Mae'r bwthyn hwn yn eiddo i Amgueddfa Ceredigion ac yn ystod mis Awst, mae'r bwthyn hwn ar agor rhwng 2 a 4 o'r gloch o ddydd Mawrth i ddydd Gwener ac ar ddydd Sul. Y drws nesaf i'r bwthyn mae adfeilion Neuadd, sef adeilad o gyfnod y Tuduriaid, a gerllaw ceir safle heb ei farcio yr honnir weithiau ei fod yn safle'r llan wreiddiol a gysegrwyd i Non, mam Dewi Sant, a roddodd ei henw i'r pentref. Daethpwyd o hyd i sheela-na-gig (ffigwr carreg anweddus o fenyw) wedi'i dreulio'n ddifrifol yn y fan hon, ac mae'r ffigwr hwn bellach yn Amgueddfa Ceredigion yn Aberystwyth.

Bydd ymwelwyr yn sylwi bod nifer o arwyddion lleol yn ogystal â'r wefan *www.llanon.org.uk,* yn sillafu enw'r pentref gan ddefnyddio un 'n' gan hepgor y cysylltnod. Mae mapiau O.S. diweddar yn ffafrio'r sillafiad Llan-non sy'n fwy cywir o safbwynt ieithyddol gan y byddai'r enw Llanon yn cyfeirio at "safle eglwys yr onnen" yn hytrach na'r enw Non. Mae'r mater hwn yn codi gormod o ddadleuon i'w trafod ymhellach

linguistically more accurate Llan-non, since Llanon would refer to "the ash-trees' church-site" rather than the name of Non. This raises too many controversies to be followed here, but the local pronunciation is definitely in favour of the hyphenated version preferred here.

From the main street the walker can return to the coast via Heol yr Eglwys (Church Street) or one of the other turnings left, eventually reaching Llansanffraid church, the main historic building in the community, which has its own cluster of cottages. The church is dedicated to St Ffraid, the Welsh name of the Irish saint Bridget, to whom several medieval churches are dedicated across Wales. Although there is no natural harbour of any kind here, Llan-non was in the 19th century a flourishing maritime community. From 1824 onwards the Shipping Registers (kept in the Ceredigion Archive at Aberystwyth) record twenty-four sailing ships built on the beach or close by; the largest was the 248-ton barque *Majestic*, built in 1858 and wrecked near Porto Seguro, Brazil in 1875. Men from the village regularly spent years

yma, ond mae'r ffordd y caiff yr enw ei ynganu'n lleol yn bendant yn cyd-fynd â'r sillafiad â chysyllnod a gaiff ei ffafrio yma.

O'r brif stryd, gall cerddwyr ddychwelyd i'r arfordir drwy Heol yr Eglwys neu un o'r strydoedd eraill sy'n troi i'r chwith, gan gyrraedd eglwys Llansanffraid ymhen dim, sef prif adeilad hanesyddol y gymuned sydd â'i chlwstwr ei hun o fythynnod. Mae'r eglwys wedi'i chysegru i'r Santes Ffraid (sef yr enw Cymraeg ar y Santes Bridget o Iwerddon) y mae nifer o eglwysi o'r Oesoedd Canol wedi'u cysegru iddi ar draws Cymru. Er

away from home as captains, mates or seamen, and though shipbuilding ceased after 1864, seafaring continued well into the 20th century. Older inhabitants still remember the retired sea-captains who came home to live here; some houses still bear the names of local ships.

The tragic harvest of the sea is commemorated on many gravestones in Llansanffraid churchyard. Seventy-four mariners who died away from home are remembered here, most of them drowned; scores of others died at home. Most

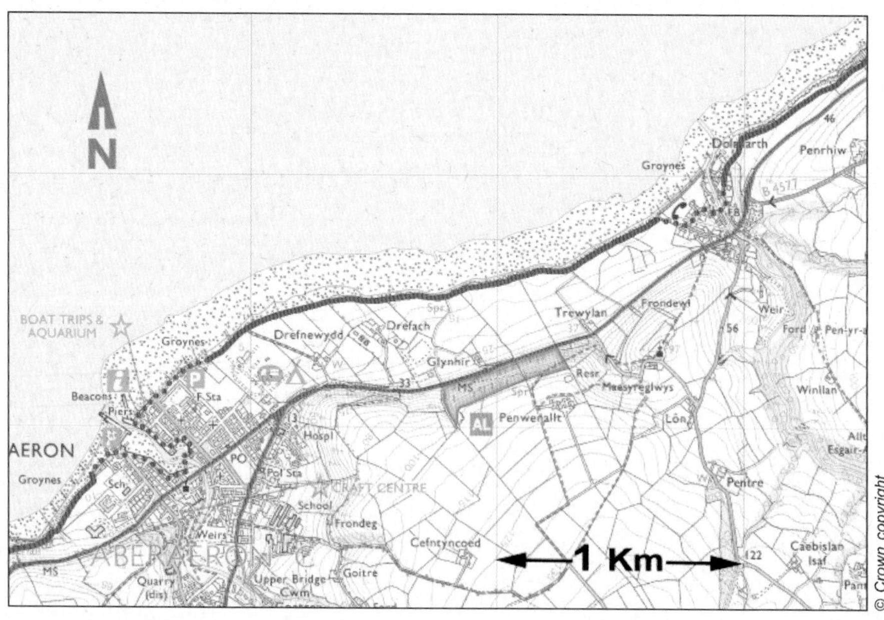

nad oes harbwr naturiol yma, roedd Llan-non yn gymuned forwrol lewyrchus yn ystod y bedwaredd ganrif ar bymtheg. O 1824 ymlaen, mae'r Cofrestrau Llongau (a gedwir yn Archif Ceredigion yn Aberystwyth) yn cofnodi bod dau ddeg a phedwar o longau hwylio wedi'u hadeiladu ar y traeth neu mewn mannau cyfagos, a'r mwyaf o'r rhain oedd llong fawr y *Majestic* a oedd yn pwyso 248 tunnell. Cafodd y llong hon ei hadeiladu ym 1858, ac fe'i drylliwyd ger Porto Seguro ym Mrasil ym 1875. Roedd dynion o'r pentref yn treulio blynyddoedd oddi cartref yn rheolaidd yn gweithio fel capteiniaid, is-gapteiniaid neu forwyr ac er bod y diwydiant adeiladu llongau wedi dod i ben ar ôl 1864, roedd dynion o'r pentref yn dal i fynd i'r môr ymhell i mewn i'r ugeinfed ganrif. Mae trigolion hwn yn dal i gofio'r capteiniaid oedd yn dychwelyd i fyw yma ar ôl iddynt ymddeol, a cheir rhai tai o hyd sydd wedi'u henwi ar ôl llongau lleol.

Roedd y môr wedi hawlio einioes sawl un a cheir tystiolaeth o hynny ar nifer o gerrig beddi ym mynwent eglwys Llansanffraid. Caiff saith deg a phedwar o

© Janet Baxter

Clochdar y cerrig
Stonechat

tragic is the table-grave of the Davies family of Maesyreglwys, a few yards south of the church: before old Mr Davies died in bed in 1853 his daughter was drowned at Liverpool, and later his two sons and only grandson were lost at sea. Another grave commemorates a Spanish sea-captain, Don José Segarra, who was drowned off the Scilly Isles in December 1915. His body was carried by the tides all the way to the nearby beach in summer 1916, and it was recognised by his uniform. The curious will also find a grave with an inscription in

forwyr a fu farw oddi cartref eu coffáu yma – boddi fu hanes y rhan fwyaf ohonynt. Yn ogystal, bu farw nifer o forwyr eraill yn eu cartrefi ar ôl iddynt ddychwelyd o'r môr. Y mwyaf trasig o blith yr holl gerrig beddi yw bedd gwastad teulu Davies o Faesyreglwys sydd ychydig lathenni i'r de o'r eglwys. Cyn i Mr Davies farw yn ei wely ym 1853, boddodd ei ferch yn Lerpwl ac yn ddiweddarach, collodd ei

the Cyrillic alphabet; this is the grave of a post-war Ukrainian refugee.

It is not clear why the church should be dedicated to the Irish saint Bridget, but Welsh-Irish contacts were frequent in the Middle Ages, especially before 1200. The church tower is medieval, and within the porch is a large remnant beam which was

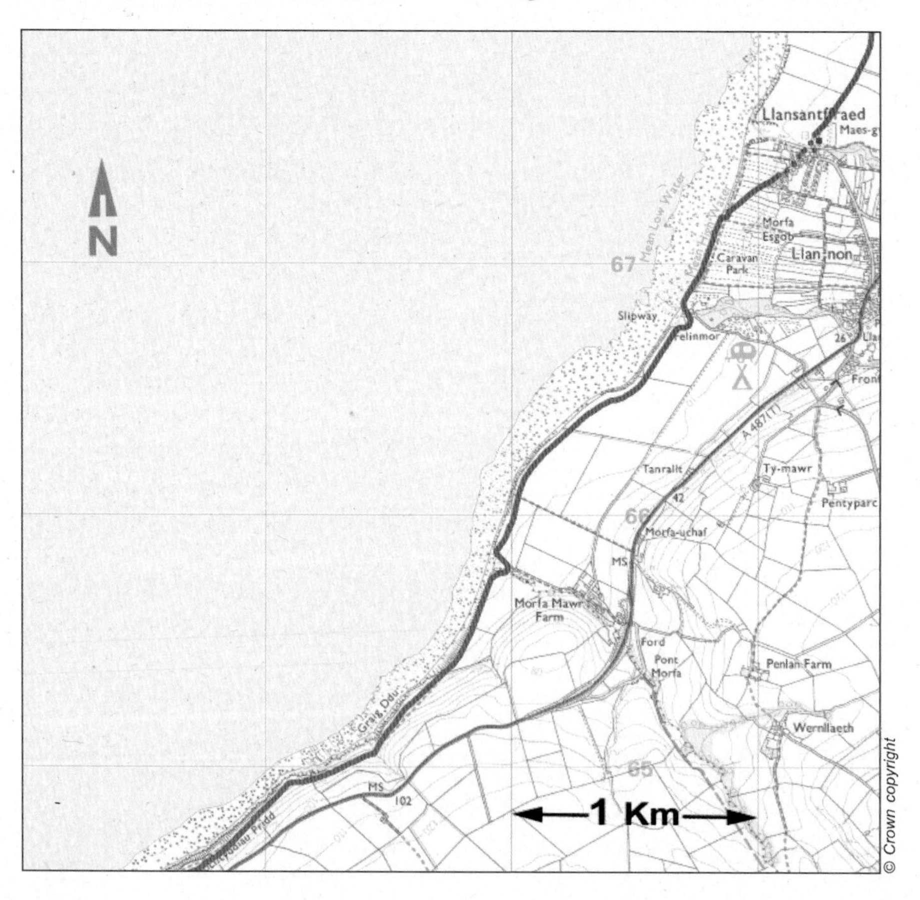

ddau fab a'i unig uyr eu bywydau ar y môr. Mae bedd arall yn coffáu capten o Sbaen, Don José Segarra, a foddodd ger Ynysoedd Sili ym mis Rhagfyr 1915. Cafodd ei gorff ei gario gan y llanw'r holl ffordd i'r traeth cyfagos yn haf 1916, a chafodd ei adnabod drwy ei iwnifform. Bydd y rhai mwyaf chwilfrydig yn eich plith yn dod o hyd i fedd ag arysgrif yn yr wyddor Syrilig – dyma fedd ceisiwr lloches o'r Wcráin a ddaeth i'r ardal ar ôl y rhyfel.

Nid yw'n hollol glir pam fod yr eglwys wedi'i chysegru i'r Santes Ffraid o Iwerddon, ond roedd digon o gysylltiadau rhwng Cymru ac Iwerddon yn ystod y Canol Oesoedd – yn enwedig cyn 1200. Adeiladwyd tur yr eglwys yn ystod y Canol Oesoedd ac yn y cyntedd, ceir darn mawr o drawst a oedd yn rhan o'r groglen yn wreiddiol. Adeiladwyd corff yr eglwys yn ystod oes Fictoria (tua 1840) ac mae'n debycach i gapel nag i eglwys. Yn anffodus, mae'r llwybr cobl deniadol y tu allan i'r eglwys wedi'i ddifetha gan goncrid a oedd i fod i'w gryfhau. Yn yr haf, mae gwenoliaid y glennydd yn nythu ar lannau afon Peris yn agos i wal y fynwent.

© Janet Baxter

Gwenoliaid
Swallows

originally part of the rood-screen. The nave is Victorian (about 1840), reminiscent of a chapel rather than a church. The attractive cobbled path outside has unfortunately been spoiled by concretion intended to strengthen it. In the summer sand-martins nests in the banks of the river Peris close to the churchyard wall.

The Path northeastwards follows the green track between hedges immediately north of the churchyard entrance; further on it crosses fields from which can be seen the Victorian country house of Allt-lwyd, now an old people's home, which in World War II had a radar station nearby. It is salutary to remember that in 1957 the powers-that-be consulted with the county council about building an atomic power-station on this level area, but did not go ahead.

Odynau calch Craig-las
Craig-las lime kilns

Mae'r llwybr i'r gogledd-ddwyrain yn dilyn y trac gwyrdd rhwng gwrychoedd sydd i'w weld yn union i'r gogledd o'r fynedfa i fynwent yr eglwys. Yn nes ymlaen, mae'r llwybr yn croesi caeau lle gellir gweld Allt-lwyd, sef plasty o oes Fictoria sydd bellach yn gartref hen bobl. Roedd gorsaf radar wedi'i lleoli gerllaw'r tw hwn yn ystod yr Ail Ryfel Byd. Mae'n werth cofio bod yr awdurdodau wedi ymgynghori â'r cyngor sir ynghylch adeiladu pwerdy atomig ar yr ardal wastad hon ym 1957, ond ni wireddwyd y

Just over a kilometre north of Llansanffraid the path reaches the edge of the low clay cliffs and the hummock of trees and stones that reveals itself as the Craig-las limekilns and associated ruins. Craig-las has four surviving kilns, as well as other associated buildings in which coal was stored and beer drunk.

On the shore here can be seen a complex of ruinous stakes which once formed jetties, together with an arm which once projected

cynlluniau. Ychydig dros gilomedr i'r gogledd o Lansanffraid, mae'r llwybr yn cyrraedd ymyl y clogwyni clai isel a'r bryncyn o goed a cherrig lle saif odynau calch Craig-las ac adfeilion cysylltiedig. Mae pedair odyn galch i'w gweld o hyd yng Nghraig-las yn ogystal ag adeiladau cysylltiedig eraill a oedd yn cael eu defnyddio i storio glo ac yfed cwrw.

Ar y lan yn y fan hon, gellir gweld adfeilion cyfres o byst a fu unwaith yn lanfeydd ynghyd â braich a oedd yn ymestyn allan i'r môr ar un adeg gan amddiffyn y lan a chreu harbwr o ryw fath. Roedd odyn galch gynharach wedi'i lleoli ar waelod y clogwyn. Roedd y calchfaen a'r glo neu'r glo mân yn cael eu dadlwytho o'r llongau a'u cario i fyny ramp, sydd bellach wedi'i erydu'n gyfan gwbl bron, fel y gellid eu llwytho i'r odynau. Yr adfail sgwâr mawr y tu ôl i'r odynau oedd y storfa lo. Ychydig i'r gogledd, ynghanol llystyfiant, ceir adfeilion y tw cwrw lle gallai'r rheiny oedd yn gweithio yng ngwres yr odynau fynd i dorri'u syched.

Ychydig ymhellach i'r gogledd, mae'r clogwyn clai isel yn

© Melvin Grey

Piod y môr
Oystercatchers

protectively into the sea, creating a crude harbour. An earlier lime-kiln was situated at the bottom of the cliff. Limestone and coal or culm were unloaded and carried up a ramp, now almost completely eroded, to be loaded into the kilns. The large square ruin behind the kilns was the coal-store. Just to the north are the overgrown ruins of the beer-house where heated workers could slake their thirsts.

Gloyn yr ysgall
Painted Lady

© Janet Baxter

diflannu. Mae'r traeth yn y fan hon yn creu amgylchedd garw ar gyfer y creaduriaid a'r planhigion sy'n byw yn y pyllau glan môr. Ceir crancod llygatgoch (sydd i'w gweld orau yn ystod llanw isel) a chrancod cochion bach, ac mae crancod hirgoes ifanc yn aros yn agos i'r dŵr tra bod crancod gleision yn mentro'n agosach i'r traeth. Mae brennig a gwyrain yn gorchuddio'r creigiau, ac mae misglod a gwichiaid yn ddigon cyffredin hefyd. Gall y rhain i gyd

A little further north the low clay cliff disappears. The beach here is a harsh environment for the creatures and plants of the rock-pools. There are velvet fiddler crabs which are best found at low tide, small edible crabs and young spider crabs too stay close to the water, but shore crabs venture further towards the beach. Limpets and barnacles encrust the rocks, mussels and winkles are common. All can be prey to the dog whelk and the

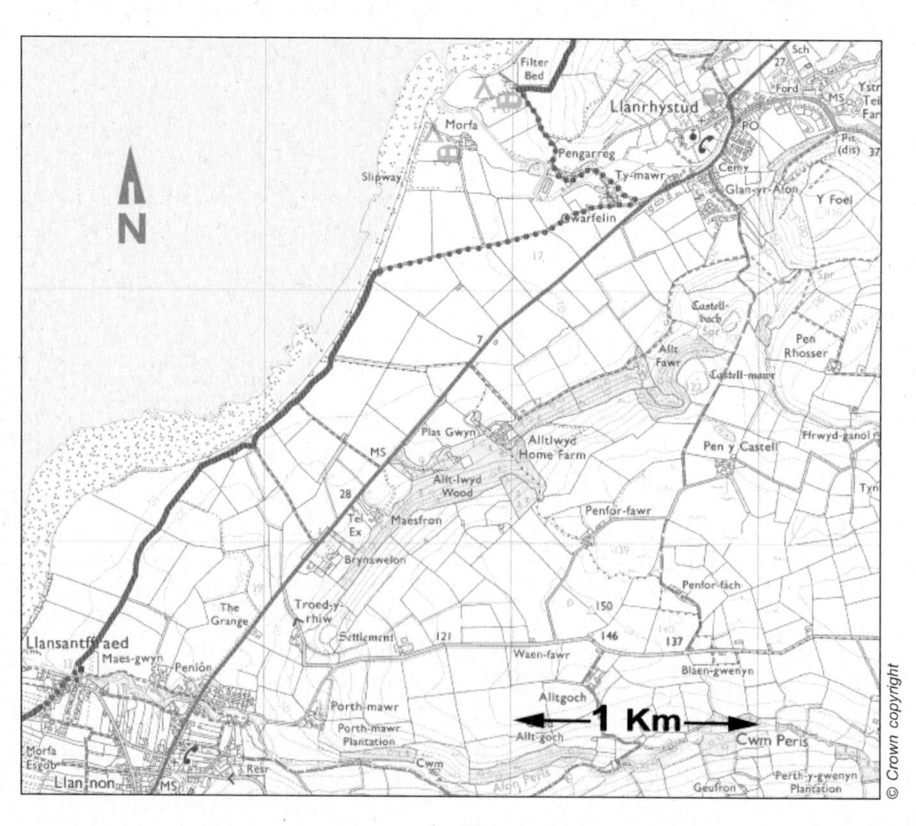

fod yn ysglyfaeth i chwalcen y cun a'r seren fôr oren bigog, ond cranc arall sydd drechaf yn y diwedd – y cranc meddal sydd heb ei gragen ei hun ac sy'n byw mewn cregyn gwag er mwyn diogelu ei hun, gan ymgartrefu mewn cregyn chwalcod yn y diwedd. Gellir gweld perdys a physgod bach megis llyfrothod a gobïod yn ogystal ag anemonïau. Mewn nifer o byllau mae anemonïau, yn ogystal â gwymon ac algâu amrywiol, yn gallu gwneud i'r dŵr ymddangos yn amryliw.

Mae'r llwybr yn dilyn y gefnen o gerrig mân cyn belled â'r maes parcio bach â bwi achub. Yma, efallai y bydd cerddwyr yn cael eu temtio i gerdded ymhellach ar hyd y cerrig mân heibio i bentref

spiny orange starfish, but the winner in the end is another crab, the hermit crab, which has no shell of its own, and for safety's sake occupies empty shells, finishing up in a whelk shell. Shrimps and tiny fish can be seen: blennies, gobies and butterfish, as well as anemones. The latter, with various weeds and algae can give many pools a rainbow hue.

The path follows the pebble bank as far as a small car-park with lifebuoy. At this point walkers may be tempted to walk further along the shingle past the Morfa holiday settlement to the river Wyre, but there is no bridge. When the river is not in spate it

Glan y môr ger Llanrhystud
The shore near Llanrhystud

gwyliau Morfa hyd at afon Wyre, ond nid oes pont ar gael i groesi'r afon. Pan nad oes llif yn yr afon, byddai modd padlo ar ei thraws, ond mae'n anodd ailymuno â llwybr yr arfordir wedi hynny, felly mae'n well anghofio am unrhyw wyriad o'r fath. Yn lle hynny, dilynwch y ffordd gul sy'n arwain i'r A487. Er mwyn bwrw yn eich blaen i Aberystwyth, trowch i'r chwith i mewn i'r fynedfa lle mae arwydd parc carafanau Pencarreg a dilynwch y ffordd drwy'r parc ei hun. Os ydych am ddefnyddio gwasanaethau'r pentref (siopau a Swyddfa Bost, garej, tafarn y Black Lion, llety a bysus), cerddwch ar hyd y briffordd yn ofalus hyd nes eich bod yn cyrraedd y pafin ac yna'r bont.

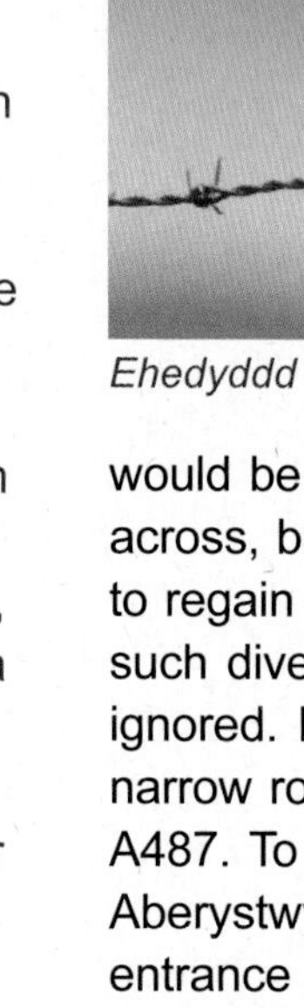

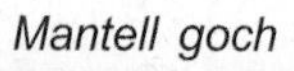

Mantell goch *Red admiral*

Ehedyddd *Skylark*

would be possible to paddle across, but there is no easy way to regain the coastal path, so any such diversion should be ignored. Instead follow the narrow road which leads to the A487. To continue to Aberystwyth, turn left into the entrance to the Pencarreg caravan park sign, and follow the roadway through to the caravan park itself. To take advantage of the village services (shops and Post Office, garage, Black Lion pub, accommodation and buses) walk along the main road with great care until you reach the pavement and then the bridge.

Yr arfordir ysgythrog i'r gogledd o Llanrhystud
The rugged coastline north of llanrhystud

Llanrhystud to Aberystwyth
Llanrhystud to Aberystwyth

SN 538697 - 582820
10.6 m / 17.0 km

Er nad yw'n bentref glan môr, mae **Llanrhystud** yn gorwedd llai na milltir o'r môr ac mae'n lle da i gael mynediad i'r arfordir. Fodd bynnag, nid oes gan y pentref draddodiad mordwyo cryf fel sydd gan Lan-non. Yn wir, mae'r ddwy gymuned yn wahanol iawn, ac mae rhyw fath o gystadleuaeth yn dal i fodoli rhyngddynt. Tan yn ddiweddar, roedd y rhan fwyaf o swyddi yn yr ardal yn gysylltiedig ag amaethyddiaeth a'r gwaith o wasanaethu ffermydd. Ym 1851, roedd cynifer â naw gof yn yr ardal a oedd yn diwallu anghenion 139 o ffermwyr yn y plwyf. Heddiw, mae'r pentref yn gartref i bobl sy'n gweithio yn Aberystwyth ac yn ganolfan ar gyfer twristiaid, ond mae amaethyddiaeth yn parhau wrth gwrs.

Man canol gwreiddiol y pentref oedd yr eglwys, ac ni chaiff sant yr eglwys, sef Sant Rhystud, ei

Although not a seaside village, **Llanrhystud** is less than a mile from the sea and is a good access point for the coast; nevertheless there is no strong seafaring tradition as there was at Llan-non. Indeed, the two communities are very different, and a certain rivalry still exists between them. Until recently the main occupation of the area has always been agriculture and the servicing of farms; in 1851 there were no fewer than nine blacksmiths serving the needs of 139 farmers in the parish. Today the village is a dormitory for Aberystwyth and a service centre for tourism, though of course agriculture continues.

The original centre of the village was the church, whose saint Rhystud is not commemorated anywhere else. The present impressive building, consecrated in 1854, was designed by

© Ceredigion

Eglwys Llanrhystud
Llanrhystud Church

goffáu yn un man arall. Cafodd yr adeilad trawiadol presennol, a gysegrwyd ym 1854, ei gynllunio gan Richard Kyrke Penson i'w godi yn lle'r eglwys o'r Canol Oesoedd oedd wedi syrthio'n adfail rhamantaidd. Fel y capeli lleol niferus, talwyd am yr eglwys trwy gyfraniadau lleol a bach iawn o grantiau a gafwyd gan gyrff allanol. Roedd pobl yn byw yn yr ardal gyfagos ymhell cyn cyfnod Sant Rhystud. O'r ffordd annosbarthedig sy'n mynd heibio i Glwb Penrhos, gall cerddwyr gyrraedd safle godidog Caer Penrhos (SN 552 695), sef bryngaer fawr o Oes yr Haearn

Richard Kyrke Penson to replace the romantically decayed medieval church, and like the numerous local chapels, was paid for by local subscription with only minimal grants from outside bodies. Human occupation of the surrounding area goes much further back than St Rhystud; from the unclassified road past the Penrhos Club is the splendid site of Caer Penrhos (SN 552 695), a mighty Iron Age hillfort (about 100 B.C.), in a corner of which the Norman invaders of 1110 A.D. added a fine ringwork, partly utilising the earlier

(tua 100 C.C). Yn 1110 O.C, roedd y goresgynwyr Normanaidd wedi codi amddiffynfa gylch o gwmpas un cornel o'r fryngaer hon gan wneud defnydd rhannol o'r rhagfuriau cynharach. Roedd y fryngaer hon a chastell lleol arall nad yw ei safle'n hollol hysbys wedi newid dwylo sawl gwaith yn ystod y brwydrau rhwng y goresgynwyr a'r Cymry, yn ogystal â'r brwydrau rhwng y Cymry eu hunain. Ceir olion llai trawiadol o ddwy fryngaer o Oes yr Haearn ar y bryniau i'r de o'r pentref, sef Castell Mawr a Chastell Bach. Mae rhagor o wybodaeth ar gael ar *www.llanrhystud.co.uk,* un o'r gorau o blith nifer o wefannau cymunedol a geir yn y sir.

I ymuno â'r **llwybr** o Lanrhystud, mae gennych sawl ddewis. Gall cerddwyr ailymuno â'r **llwybr** o bentref Llanrhystud drwy ddewis un o ddwy ffordd. Os yn cerdded tua Llan-non ac Aberaeron, trowch i lawr y ffordd gul o'r orsaf betrol fawr tuag at y môr, lle cewch faes parcio os oes angen. Os am gerdded tua Aberystwyth, gallwch gychwyn o'r arwydd maes parcio Pencarreg gyferbyn â'r orsaf betrol, ond nid oes rhaid

ramparts. This, and another local castle whose site is not certain, changed hands many times in the struggles between the invaders and the Welsh, as well as those between the Welsh themselves. There are less impressive traces of two Iron Age hillforts on the hills south of the village, Castell Mawr and Castell Bach. More information can be found at *www.llanrhystud.co.uk,* one of the best of many community websites in the county.

The path. If you are starting your walk from Llanrhystud you have several choices. If walking southwards, turn seawards from the large service station and park by the beach. If walking northward you can start from the Pencarreg caravan park sign and follow through to the park itself, described in the next paragraph. If you are in the village centre and intending to walk to Aberystwyth, there are alternatives. There is no need to return to the Pencarreg caravan park sign. The first choice is to follow the little side-street from the Black Lion, leaving the church on your left. A pleasant few minutes will bring you to the

gwneud hynny. Y dewis cyntaf yw dilyn y stryd fach o'r Black Lion

coast path at the old Pencarreg farm buildings, from which you

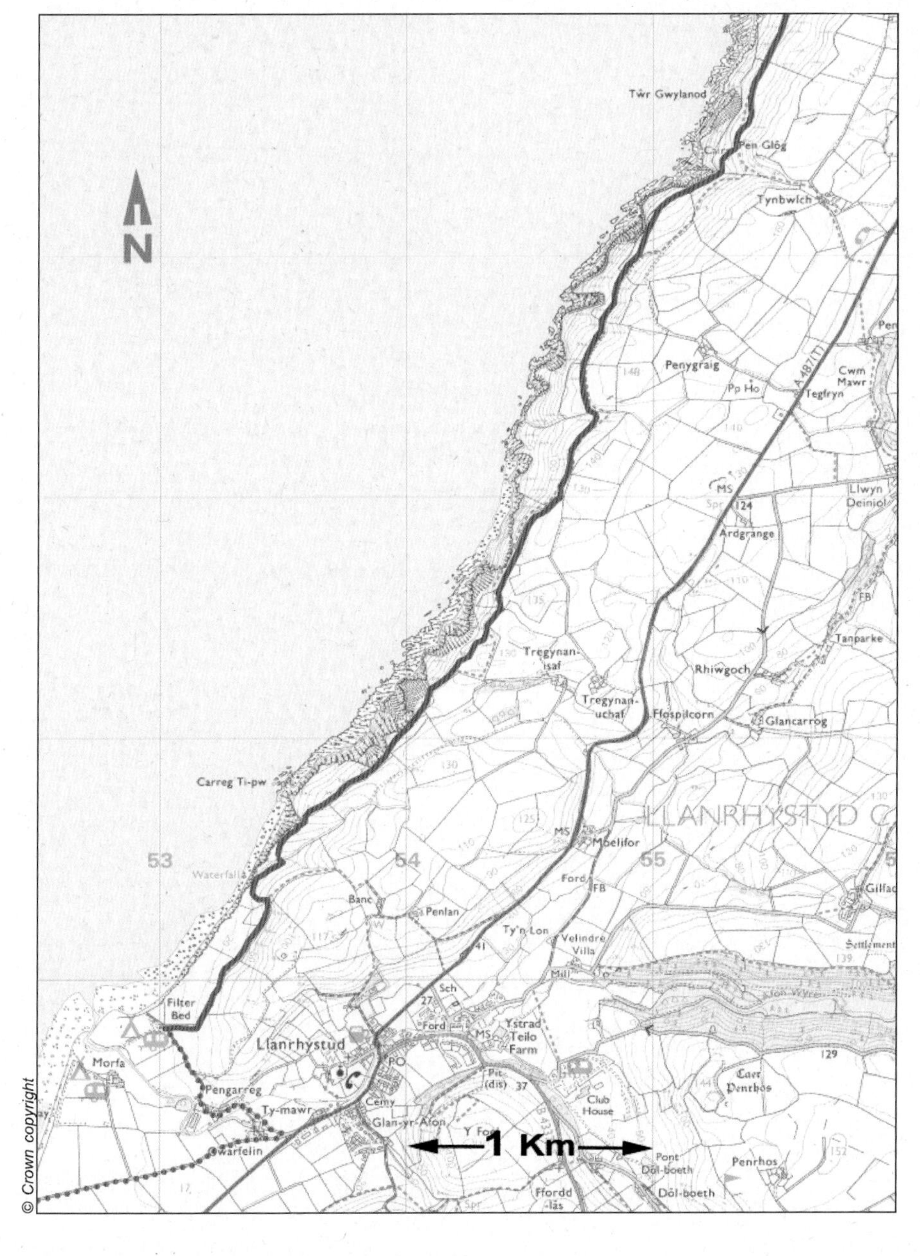

gan adael yr eglwys ar y llaw chwith i chi. Ar ôl cerdded am rai munudau, byddwch yn cyrraedd llwybr yr arfordir ger hen adeiladau fferm Pencarreg. O'r fan hon, byddwch yn dilyn y ffordd tua'r môr i'r parc carafanau ei hun. Ewch i mewn i'r parc a chadwch i'r dde gan fynd i fyny'r cae i'r cyntaf o blith nifer o gamfeydd. Mae'r llwybr ger ymyl y clogwyn yn esgyn yn eithaf serth yn y fan hon. Mae Carreg Ti-Pw i'w gweld o'r ffens sydd o amgylch y clogwyn. Gerllaw'r pwynt uchaf (sydd oddeutu 130 metr uwchlaw lefel y môr), ceir golygfeydd godidog i'r gogledd, y de-orllewin a thros y tir. Yr ail ddewis yw anwybyddu'r troad i'r chwith ger y Black Lion – yn lle hynny, ewch ymlaen i'r arwydd ar gyfer llwybr troed ar y chwith lle mae'r briffordd yn troi'n sydyn i'r dde. Dilynwch y llwybr i fyny'r rhiw a thros y gefnen er mwyn ymuno â phrif lwybr yr arfordir.

Mae'r ardal hon wedi bod yn destun arolygon rheolaidd yn rhan o Gynllun Monitro Ieir Bach yr Haf, ac mae cyfanswm o 26 o rywogaethau wedi'u cofnodi yma sy'n cyfateb i bron hanner y rhywogaethau sydd wedi'u cofnodi yn y Deyrnas Unedig.

Brith gwyrdd
Dark green fritillary

follow the road seaward to the caravan park itself. Go into the park and bear right, keeping up the field to the first of several stiles. Near the cliff edge the path runs quite steeply uphill. The second choice is to ignore the left turn at the Black Lion; instead go forward to the footpath sign on the left where the main road turns sharp right. Follow the path uphill and over the ridge to rejoin the main coast path. From the cliff fence the

Glöyn llwyd
Grayling

© Ceredigion

Yr arfordir i'r gogledd o garreg Ti-Pw
View north from above Carreg Ti-Pw

Mae'r rhain yn cynnwys y fritheg werdd, yr iâr fach felen, iâr fach y graig, britheg y gors ac, weithiau, y glesyn bach, heb sôn am y gwalchwyfyn hofran. Mae'r ardal hon i gyd i'r de-ddwyrain yn lle da i weld brain coesgoch, cudyllod cochion, clochdariaid y cerrig, tinwennod y garn ac ambell dingoch du, yn ogystal â chlystyrau da o flodau gwyllt.

Efallai mai'r frân goesgoch yw aderyn mwyaf nodweddiadol yr arfordir hwn, ac mae'r rhywogaeth hon yn ffynnu unwaith eto ar ôl cyfnod o

rock of Carreg Ti-Pw is visible. Near the highest point (about 130 metres above sea level) there are splendid views northward, south-westward and inland.

This area has been regularly surveyed as part of a Butterfly Monitoring Scheme and a total of 26 species have been logged – almost half the total for the United Kingdom. They include the dark-green fritillary and clouded yellow, the grayling and occasionally the small blue, not

© Ceredigion

Hedfaniad nodweddiadol brain goesgoch
Choughs in typical flight

ddirywiad. Mae ei chri soniarus a'i hehediad gosgeiddig yn gwahaniaethu'r frân goesgoch wrth frain eraill hyd yn oed os na allwch weld ei phig fermiliwn sydd fel pladur a'i choesau o'r un lliw. Mae brain coesgoch yn nythu'n uchel yn nhoeon ogofâu-môr ac mewn holltau dwfn mewn clogwyni. Mae safleoedd nythu artiffisial wedi'u creu i alluogi'r aderyn hardd hwn i ledaenu'i diriogaeth. Aderyn sy'n cael bwyd o'r ddaear yw'r frân goesgoch, ac mae'n chwilio drwy dwmpathau morgrug a phridd am gynrhon a phryfaid eraill. Mae bron i drideg o barau o frain coesgoch yn nythu ar arfordir y sir.

to mention the humming-bird hawk-moth. The whole stretch north-eastwards is a good one for seeing choughs, kestrels, stonechats, wheatears and the occasional black redstart, as well as fine displays of wild flowers.

The chough is perhaps the most typical bird of this coast, now flourishing again after a period of decline. Its clanging cry and tumbling flight distinguishes it from other crows even if you cannot see the vermilion scythe of its beak and matching legs. Choughs nest high in the roof of sea coves and in deep cliff

Mae'n hawdd dilyn llwybr yr arfordir ar hyd y rhan hon, ac mae'r llwybr weithiau'n rhedeg yn agos i'r clogwyn ac weithiau'n rhedeg yn uchel ar y llethr uwchlaw. Yn SN 553733 (i'r gorllewin o Dw'n y Bwlch) mae rhigol sy'n rhedeg i lawr tua'r môr, a cheir camfa sy'n temtio cerddwyr i archwilio'r ardal ymhellach - *peidiwch* ag ildio i'r demtasiwn! Yn lle hynny, edrychwch i'r dde ar y pentwr o gerrig sy'n amlwg yn artiffisial - nid safle claddu cynhanesyddol mohono ond tomen hel cerrig a adeiladwyd yn gymharol ddiweddar yn ôl pob tebyg. Ar y llethr serth islaw'r llwybr mae coedwig dderw Penderi, sy'n ymestyn i lawr i ymyl y clogwyn.

fissures. Artificial nest sites have been planted to spread the range of this attractive bird, which is a ground feeder, probing anthills and bare earth for grubs and other insects. Nearly thirty pairs nest on the county's coast.

For this stretch the coastal path is easily followed, sometimes close to the cliff, sometimes high on the slope above. At SN 553733 (west of Ty'n-bwlch) is a gully down towards the sea with a stile tempting the walker to explore further; do *not* yield! Instead, look right at the clearly artificial stack of stones, which is not a prehistoric burial-site but a clearance cairn, probably fairly recent. On the fierce slope

Brain goes goch yn bwydo / *Choughs feeding*

Rheolir y goedwig hon gan Ymddiriedolaeth Bywyd Gwyllt De a Gorllewin Cymru, ac ni ellir cael mynediad iddi heb drwydded (ffôn: 01239 621212). Mae'n debyg bod y nodwedd arbennig hon wedi goroesi am ei bod wedi cael ei defnyddio yn y gorffennol fel ffynhonnell o goed tân ar gyfer fferm Ty'n y Bwlch sydd gerllaw. Mae'r coed yn gnotiog ac wedi'u hystumio o ganlyniad i genedlaethau o losg-halen a gwaith tocio. Mae'r llethrau cyfagos o glychau'r gog i'w gweld yn well o'r môr nag o'r llwybr. Yn yr ardal hon - islaw ymyl y clogwyn, mae nifer o forloi i'w gweld yn aml, a cheir nythfa o fulfrain. Mae'r adar hyn yn treulio llawer o amser yn gorffwys ar y creigiau gan sychu'u hadenydd oherwydd yn wahanol i wylanod a hwyaid, nid oes ganddynt olew yn eu plu ac felly maent yn amsugno dŵr.

O Benderi, mae'r llwybr yn rhedeg i'r gogledd am bron i ddau gilomedr ar hyd llwyfan o ddyddodion rhewlifol, gan fynd heibio i hen ffermydd Mynachdy'r Graig, Ffos-las a Chwmceirw cyn cyrraedd Morfa Bychan. Erbyn hyn, defnyddir y tir hwn i gyd at ddibenion pori ond ym 1843,

below the path, reaching down to the cliff-edge, is Penderi oakwood, managed by the Wildlife Trust of South and West Wales; admission by permit only (phone 01239-621212). This remarkable feature probably owes its survival to its past usefulness as a source of firewood for nearby Ty'n-bwlch; the trees are gnarled and stunted by generations of salt-burn and ancient coppicing. The nearby slopes of bluebells are better seen from the sea than the path. Hereabouts, below the cliff-edge, numerous seals are often visible, and there is a colony of breeding cormorants. These birds spend much time resting on rocks drying their wings, because unlike gulls and ducks they have no oil in their feathers and become waterlogged.

From Penderi the path runs along a platform of glacial deposits northwards for nearly two kilometres, past the old farms of Mynachdy'r Graig, Ffos-las and Cwmceirw to Morfa Bychan. Now all grazing land, in 1843 virtually all these fields were under the plough, growing oats, barley and a little wheat. The

roedd y caeau hyn i gyd bron yn cael eu defnyddio i dyfu ceirch, barlys ac ychydig o wenith. Mae cerddwyr yn gallu gweld adeiladau gwyn Mynachdy'r Graig yn aml ar eu ffordd ar hyd y llwybr. Cyn cyrraedd y tw, mae ffenomenon rhyfedd i'w weld ar y chwith, sef ceudwll enfawr yn y cae wrth ymyl y clogwyn a grëwyd yn ôl pob tebyg pan ddymchwelodd to'r ogof oedd islaw. Enw'r ogof hon yw (neu oedd) Ogof y Mynach.

Mynachdy'r Graig. Eiddo preifat yw'r ffermdy gwyngalchog hwn ond mae'r tir i'r de-orllewin yn eiddo i'r Ymddiriedolaeth Genedlaethol. Nid mynachdy oedd yr adeilad hwn ond yn hytrach fferm y mynachdy, a rhoddwyd y tir ffermio hwn i fynachod Ystrad-fflur gan dywysogion Cymru yn ystod y ddeuddegfed ganrif ynghyd â'r hawl i bysgota a meddiannu llwyth llongau oedd wedi'u dryllio. Ni fyddai mynachod wedi byw yma, ond byddent wedi cyflogi beili a gweithwyr ac yn ddiweddarach, byddent wedi rhentu'r fferm i denantiaid. Mae'r tw presennol, sy'n eiddo preifat, yn adeilad cydnerth o'r bedwaredd ganrif ar bymtheg

© Melvin Grey

Tinwen y garn
Wheatear

white buildings of Mynachdy'r Graig is frequently in view as the walker approaches. Before reaching the house a strange phenomenon can be seen on the left, a huge crater in the field close to the cliff, where apparently a sea-cave roof has collapsed. This is, or was, Monk's Cave.

Mynachdy'r Graig. This whitewashed farmhouse is privately owned, but the land south-westwards is National Trust property. The name ('Monks' House on the rock') does not mean 'monastery'. Rather, this was a monastic grange, farmland given to the monks of Strata Florida by the Welsh princes in the 12th century, together with the right to fish and exploit wrecked ships. Monks

sydd ag ystod dda o dai allan. Mae'r mynediad i'r traeth yn beryglus ac mae wedi'i gau i ffwrdd er mwyn sicrhau diogelwch. Gall cerddwyr adael llwybr yr arfordir yn y fan hon gan ymuno â'r A487 mewn cilfach barcio lle bydd bysus sy'n teithio tua'r gogledd yn stopio ar gais. Annoeth fyddai ceisio stopio bws sy'n teithio tua'r de oherwydd byddai'n rhy beryglus i'r bws aros ar y ffordd.

O Fynachdy'r Graig, mae'r llwybr yn parhau'n ddidrafferth heibio i dw fferm Ffos-las nad oes neb yn byw ynddo mwyach. Gan osgoi'r tw, mae'r llwybr yn ailymuno â'r ffordd hynafol o Ffos-las tuag at Forfa Bychan, gan basio set moch daear a chodi'n raddol drwy ryw fath o dwnnel o ddrain gwynion lle ceir set moch daear sy'n fwy o faint. Yn y pen draw, mae'r llwybr yn codi uwchlaw tw fferm Cwm-ceirw sy'n cael ei ddefnyddio fel cartref o hyd. Yna, mae'r llwybr yn rhedeg gerllaw Llety'r Gegin i'r ffordd annosbarthedig sy'n arwain i Forfa Bychan. Trowch i'r chwith am ychydig lathenni ac yna trowch i'r chwith unwaith eto dros y gamfa y ceir arwyddion ar ei chyfer er mwyn osgoi cerdded ar

© Janet Baxter

Cudyll coch *Kestrel*

would not have lived here, but would have employed a bailiff and labourers, and later rented the farm to tenants. The present house is privately owned, a robust 19th century building with a fine range of outhouses. The dangerous access to the beach has been blocked in the interests of safety. Walkers can leave the coastal path here to join the A487 at a layby where northbound buses will stop on request; it would be inadvisable to hail a southbound bus, the road would be too dangerous.

From Mynachdy the path continues without difficulty to the abandoned farmhouse of Ffos-las. Avoiding the house, the path rejoins the ancient roadway from Ffos-las towards Morfa Bychan, passing a

y ffordd. Mae'r llwybr troed (sy'n llithrig yn ystod tywydd gwlyb) yn ailymddangos gan groesi'r ffordd a bwrw yn ei flaen uwchlaw parc carafanau Morfa Bychan.

Morfa Bychan. Mae modd ymuno â'r llwybr wrth y groesfan hon drwy barcio'n ofalus a dilyn yr arwyddion y naill ffordd neu'r llall, neu gellir gwyro oddi ar y llwybr a mynd i lawr i Forfa Bychan ei hun. Roedd Rhys Ddu, un o ddynion mwyaf pwerus y sir, yn byw yma ar ddiwedd y bedwaredd ganrif ar ddeg a phan ddaeth Owain Glyndŵr, Tywysog Cymru, i

badger sett and climbing gently upwards through a virtual tunnel of hawthorns with another extended badger sett, rising above the still-occupied farm of Cwm-ceirw. It then runs close by Llety'r Gegin to the unclassified road down to Morfa Bychan. Turn left for a few yards, then left again over the signed stile to avoid trudging down the road; the footpath (slippery in wet weather) reemerges to cross the road and lead onwards above Morfa Bychan caravan park.

Mynachdy'r Graig
Mynachdy'r Graig

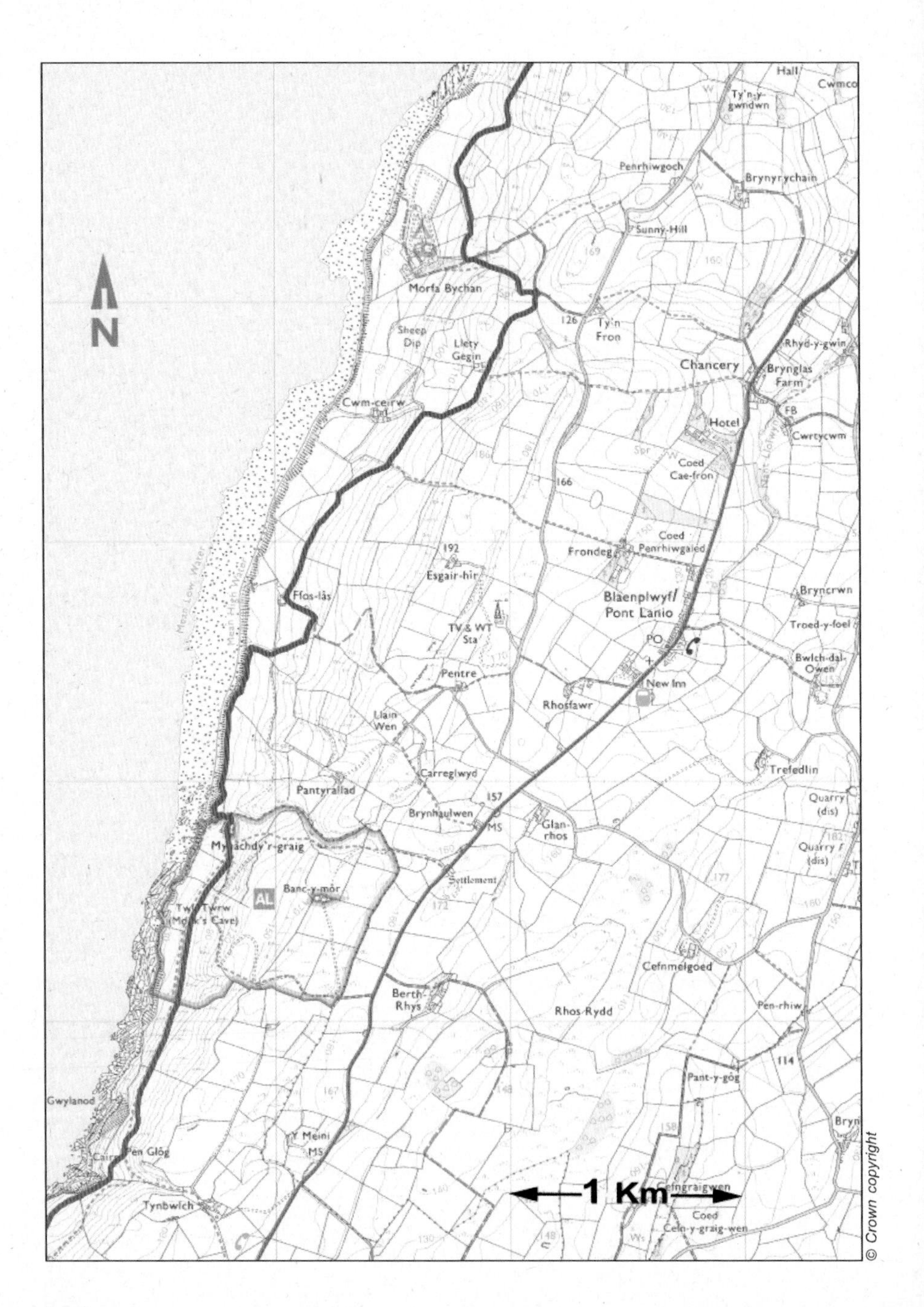
N
Morfa Bychan
Sheep Dip
Llety Gegin
Cwm-ceirw
Penrhiwgoch
Brynyrychain
Sunny-Hill
Ty'n-y-gwndwn
Hall
126
Ty'n Fron
Chancery
Rhyd-y-gwin
Brynglas Farm
Hotel
FB
Cwrtycwm
Coed Cae-fron
166
192
Esgair-hir
Coed Penrhiwgaled
Frondeg
Blaenplwyf/ Pont Llanio
Bryncrwn
Troed-y-foel
Ffos-lâs
TV & WT Sta
PO
Bwlch-dal-Owen
Pentre
New Inn
Rhosfawr
Llain Wen
Trefedlin
Carreglwyd
Pantyrallad
157
Brynhaulwen
MS
Glan-rhos
Quarry (dis)
Settlement
Banc-y-môr
AL
Cefnmelgoed
Berth-Rhys
Rhos-Rydd
Pen-rhiw
Pant-y-gôg
Gwylanod
Y Meini
Tynbwlch
1 Km
Coed Celn-y-graig-wen

© Fiona Bartrop

I'r de o Forfa Bychan
South from Morfa Bychan

Geredigion yn ystod ei ymgyrch i ennill annibyniaeth i Gymru, ymunodd Rhys ag ef fel y gwnaeth nifer o ddynion eraill. Yn y diwedd, cafodd Rhys ei ddal a'i grogi gan y Saeson yn dilyn y gwarchae yng Nghastell Aberystwyth ym 1408. Roedd Morfa Bychan yn un arall o'r ffermydd a oedd yn eiddo i fynachod Ystrad-fflur, ond erbyn heddiw nid oes dim i ddangos bod Rhys na'r mynachod wedi bod yma.

Nid yw llwybr yr arfordir yn mynd i mewn i'r parc carafanau, ond mae llwybr cyhoeddus sy'n

Morfa Bychan. It is possible to join the path at this crossing point by parking carefully and following the signs either way, or to make a diversion down to Morfa Bychan itself. In the late 14th century one of the county's most powerful men, Rhys Ddu (the Black) lived here, and when the Welsh prince Owain Glyndŵr came to Ceredigion on his campaign to make Wales independent, Rhys joined him, as did many others. Eventually Rhys was captured and hanged by the English after the siege of

arwain i'r traeth yn mynd trwyddo. Dilynwch y ffordd heibio i'r blwch ffôn gwyrdd gan gadw i'r chwith ac yna i'r dde. Ymhen amser, bydd giât i ben y clogwyn yn ymddangos ar y chwith. Cerrig mawr sy'n gorchuddio llawer o'r traeth sy'n golygu ei bod yn anodd cerdded arno, ond bydd daearegwyr yn cael modd i fyw. Trowch i'r chwith ar waelod y grisiau a cheisiwch gerdded ar hyd y traeth tua'r de heibio i'r pentir cyntaf o glai clogfaen. Ar ôl ychydig lathenni, mae'r clai clogfaen yn cilio'n eithaf sydyn i ddatgelu haenau o Grutfaen Aberystwyth, sef cerrig Silwraidd a ddyddodwyd bron i 400 miliwn o flynyddoedd yn ôl. Ychydig yn

Aberystwyth castle in 1408. Morfa Bychan was another of the granges of the monks of Strata Florida, though there is no trace today either of Rhys or the monks.

The coast path does not enter the caravan park, but there is a right of way through it leading to the beach. Follow the roadway past the green telephone booth, keeping left and then right. Eventually the clifftop gateway can be seen on the left. The beach is made largely of huge pebbles which make tough walking, but geologists will find it worthwhile. Turn left at the bottom of the steps and battle

Dyddodion drifft yr arfordir i'r de i'r Morfa Bychan
Coastal drift deposits south of Morfa Bychan

© Janet Baxter

© Fiona Barltrop

Mynachdy'r Graig
Mynachdy'r Graig

nes ymlaen eto, bydd hollt uchel sy'n wynebu'r de yn ymddangos yn y clogwyn ond nid oes modd ei gweld hyd nes eich bod yn ei chyrraedd. Trowch i'r dde ar waelod y grisiau ac mae'r ddaeareg yn ddryslyd ond yn ddiddorol. Gellir gweld adfeilion odyn galch ar ben y clogwyn isel.

Gan ddychwelyd i'r llwybr, rydym yn ei ddilyn i'r gogledd-ddwyrain ar draws tir pori bryniog, gan ymuno â'r hen ffordd werdd sydd wedi'i saernïo'n arbennig o grefftus yn y fan hon. Roedd

along southwards past the first boulder-clay headland. A few more yards and the boulder-clay gives way quite suddenly to the strata of Aberystwyth Grits, Silurian rocks laid down nearly 400 million years ago. Further still, and a high south-facing cleft appears in the cliff, only visible when it is reached. Turn right at the bottom of the steps and the geology is interestingly confused. A ruined lime-kiln can be seen at the top of the low cliff.

ffermwyr yn defnyddio'r ffordd hon i gario calch o'r odyn galch y soniwyd amdani uchod sydd i'w gweld islaw ar ymyl y clogwyn. Ar ddiwrnod braf, mae'r rhan hon o'r llwybr yn gallu mynd â'ch gwynt gan ei bod yn codi'n raddol rai cannoedd o droedfeddi uwchlaw lefel y môr cyn troi i'r chwith ar ôl camfa gerrig sydd wedi'i hadeiladu'n gywrain. Yn y fan hon, rydym yn gadael ffordd yr odyn galch ac yn dilyn y llwybr cul tuag at Allt-wen, Tan-y-bwlch ac Aberystwyth. Ceir arwyddion clir o waith cloddio a thirlithriadau, ond mae'r llwybr yn berffaith ddiogel.

Wrth i'r llwybr nesáu at frig y llethr uwchlaw'r stormdraeth yn **Nhan-y-bwlch**, ceir golygfa dda i'r dwyrain o gyfres o dwmpathau a ffosydd ar ffurf castell cylch a beili. Dyma gastell gwreiddiol Aberystwyth a adeiladwyd oddeutu 1110 gan Gilbert de Clare, sef llywodraethwr Normanaidd cyntaf Ceredigion. Mae bron yn sicr bod casgliad bach o dai a gweithdai wedi'u codi ar ochr orllewinol y castell sydd bellach ar dir preifat. Ym 1116, bu brwydro ffyrnig rhwng y Normaniaid a'r Cymry yn nyffryn Ystwyth islaw'r castell, a chafodd

Returning to the path, we follow the path north-eastwards across undulating pasture, joining the old green road, extremely well-made at this point, up which farmers carried lime from the kiln just mentioned, which can be seen below on the cliff edge. On a fine day this is one of the most exhilarating parts of the whole journey, rising gently several hundred feet above sea-level before a left turn after a well-constructed stone stile means that we leave the lime-kiln road and follow the narrow path towards Allt-wen, Tan-y-bwlch and Aberystwyth. There are clear signs of both of quarrying and of landslips, but the path is perfectly safe.

As the path nears the the top of the slope above the storm beach at **Tan-y-bwlch**, there is a good view eastwards to the ring-and-bailey complex of mounds and ditches which was the original Aberystwyth castle, built about 1110 by Gilbert de Clare, Ceredigion's first Norman ruler. The castle, on private land, almost certainly had a small settlement of houses and workshops on its westward side. In 1116 a fierce Norman-Welsh

y castell ei feddiannu sawl gwaith gan y Cymry a'i ailgipio gan y Saeson cyn i'r ddwy ochr gefnu

battle was fought in the Ystwyth valley below the castle, which was frequently seized by the

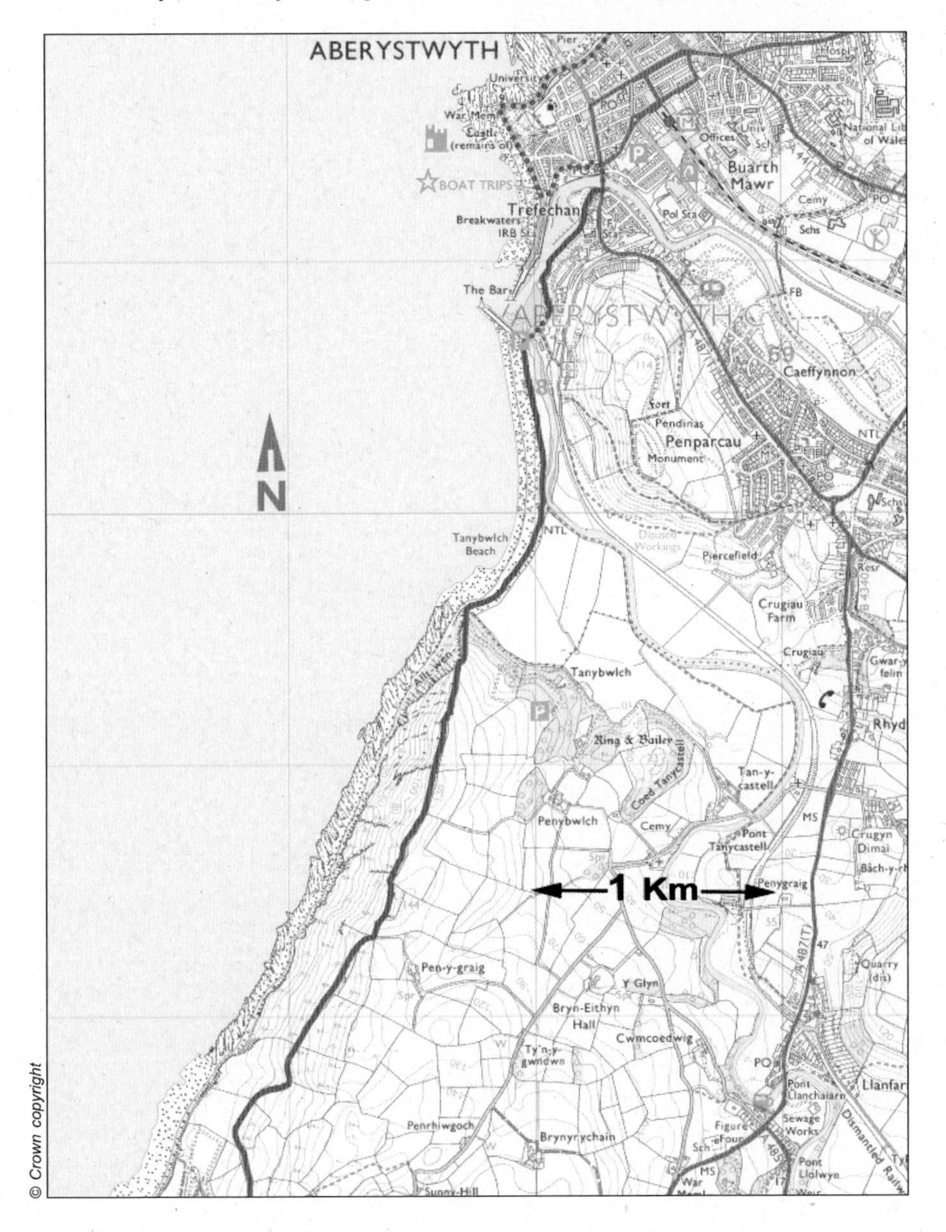

arno. Gan fod y castell yn sefyll uwchlaw aber afon Ystwyth, Aberystwyth oedd yr enw naturiol ar ei gyfer. Fodd bynnag, pan ddewisodd Edward I godi castell ar safle newydd ger y môr, mae'n debyg bod y castell hwn wedi etifeddu enw'r hen gastell er bod tref Aberystwyth yn sefyll ar lannau'r Rheidol mewn gwirionedd.

Wrth i'r llwybr fynd i lawr llethr Allt-wen, mae'n amlwg bod llawer o waith cloddio wedi digwydd yma ar un adeg. Adeiladwyd y lanfa sy'n sefyll allan ar ben gogleddol traeth

Welsh and retaken by the English before being abandoned. Since the castle stood above the estuary of the Ystwyth, Aberystwyth was its natural name, and when Edward I chose a new site by the sea it seems eventually to have inherited the old castle's name, although the river on which Aberystwyth stands is actually the Rheidol.

As the path descends the Allt-wen slope it is clear that much quarrying once took place here. The prominent jetty at the north

Traeth Tan y Bwlch
Tan y Bwlch beach

© Richard Hartnup

Tan-y-bwlch yn ystod y 1830au gan ddefnyddio cerrig o chwarel Allt-wen. Cludwyd y cerrig hyn o'r chwarel i'r safle adeiladu gan dramiau a oedd yn cael eu tynnu gan geffylau. Ychydig bellter i'r dwyrain o droed y llethr mae plasty Tan-y-bwlch a adeiladwyd yn ystod y bedwaredd ganrif ar bymtheg. Mae'r plasty hwn wedi'i guddio ynghanol coed ac nid oes modd cael mynediad iddo o'r arfordir. Yn codi'n serth o ochr bellaf yr Ystwyth mae Pen-dinas, sef un o'r bryngaerau gorau yng Nghymru a godwyd yn ystod Oes yr Haearn. Ar ben y fryngaer hon, ceir cofeb ar siâp canon i Ddug Wellington. Defnyddiwyd cyfraniadau cyhoeddus i godi'r gofeb hon yn dilyn marwolaeth y Dug Haearn a hynny ar gais W.E. Richards, sgweier Bryneithin sydd gerllaw.

Mae siâp cromlin hir traeth Tan-y-bwlch wedi'i greu yn rhannol gan ddyn. Cafodd top y gefnen ei lefelu yn ystod y 1830au er mwyn galluogi tramiau a oedd yn cael eu tynnu gan geffylau i gludo cerrig o chwarel Allt-wen i'r cei cerrig. Mae'r traeth yn llai diffaith nag y mae'n ymddangos ar yr olwg gyntaf. Ar y gefnen uchaf ceir clystyrau o babïau corniog

© Janet Baxter

Glesyn cyffredyn
Common blue

end of Tan-y-bwlch beach was built in the 1830s from Allt-wen stone; it was carried by horse-drawn trams from the quarry to the building site. A short distance east from the foot of the slope, hidden in trees and not accessible from the coast, is the 19th century mansion of Tan-y-bwlch. Rising steeply from the far side of the Ystwyth is Pen-dinas ('hill-fort'), one of the finest Iron Age hill-forts in Wales, crowned by a cannon-like monument to the Duke of Wellington, erected by public subscription on the Iron Duke's death at the behest of W.E. Richards, squire of nearby Bryneithin.

The long curve of Tan-y-bwlch beach is in part artificial; the

melyn, gludlys arfor, troed yr uydd, corwlydd, amranwen arfor a theim. Mewn mannau lle ceir ychydig o dywod, mae celynnen y môr, yr hegydd arfor a'r friwydd felen yn tyfu yn eu tymor. Ar y cerrig mân rhwng y llwybr a'r afon tuag at ben gogleddol y traeth, mae olion canopi coeden sydd wedi'i chladdu i'w gweld yn y matiau rhyfedd o ddrain duon (sydd heb newid ers i luniau gael eu tynnu ohonynt mor gynnar â 1910). Gwyddys bod cwtiaid torchog wedi nythu yma yn y gorffennol gan greu gwalau yn y cerrig mân a chynhyrchu cywion sy'n barod i redeg, bwyta a chuddio'n syth ar ôl iddynt ddeor. Ar un adeg, roedd yr Ystwyth wedi'i llygru â phlwm i'r fath raddau hyd nes nad oedd yn gallu cynnal unrhyw fywyd; mae'r sefyllfa wedi gwella'n fawr ers hynny ond nid yw'n berffaith o bell ffordd. O bryd i'w gilydd, gellir gweld pysgod yn codi i ddal pryfed, ac mae ambell las y dorlan yn fflachio heibio tra bod barcutiaid coch i'w gweld yn aml.

Hanner ffordd ar hyd y traeth, ceir troad i'r dde oddi wrth y môr ar lan ddeheuol yr Ystwyth - dyma Lwybr y Geifr sy'n arwain i Lanychaearn. Roedd yr Ystwyth

ridge-summit was levelled in the 1830s for a horse-tramway to bring stone from Allt-wen quarry to the stone quay. The beach is less barren than it seems at first sight. The upper ridge has been colonised by yellow-horned poppy, sea campion, goosefoots, pearlworts, sea mayweed and thyme. Where there is a little sand, sea holly, sea rocket and lady's bedstraw grow in season. On the shingle between the track and the river towards the north end, strange mats of blackthorn, unchanged since they were photographed as early as 1910, represent the canopy of a buried tree. Ringed plovers have been known to nest here, making a scrape in the shingle, producing chicks that are ready to run, feed and hide immediately on hatching. The Ystwyth was once so polluted with lead that it had no life in it; the position is now much improved, though far from perfect. Fish can be seen now and again rising to flies, and an occasional kingfisher flashes by, while red kites are often in view.

Halfway along the beach there is a turning right away from the sea on the south bank of the Ystwyth; this is Nannygoat's Path, leading

yn llifo drwy draeth Tan-y-bwlch yn wreiddiol ond rywbryd cyn 1740 (pan luniwyd y map manwl cynharaf sydd wedi goroesi), dargyfeiriwyd cwrs yr afon drwy doriad yn y graig fel ei bod yn llifo i mewn i'r Rheidol. Gwnaed hyn am fod y fynedfa i'r harbwr yn cael ei rhwystro'n hawdd gan fariau o dywod a cherrig mân, ac felly'r bwriad oedd cryfhau llif yr afon a chadw'r fynedfa'n glir ar gyfer llongau. Ni fu'r cynllun yn llwyddiannus, ac adeiladwyd y lanfa ymhen amser. Mae'n weddol hawdd parcio ceir yma sy'n golygu ei fod yn fan cychwyn da, yn enwedig ar gyfer y rheiny sy'n cerdded i'r de-orllewin tuag at Aberaeron.

to Llanychaearn. The Ystwyth originally flowed through Tan-y-bwlch beach, but at some date prior to 1740 (when the earliest surviving detailed map was made) it was diverted through a cut in the rock to flow into the Rheidol. This was because the harbour entrance was easily blocked by sand and pebble bars, and the intention was to strengthen river-flow and keep the entrance clear for shipping. It was unsuccessful, and eventually the jetty was built. It is fairly easy to park cars here, which makes it a possible starting-point especially for those walking south-westwards towards Aberaeron.

Celyn y môr *Sea holly*

Wrth nesáu at y maes parcio ym mhen gogleddol traeth Tan-y-bwlch, mae adfeilion tw a ddymchwelwyd gan storm ym 1938 i'w gweld yn glir ar y llaw dde. Yn union y tu hwnt i'r bont ar y llaw dde, ceir adeilad a oedd unwaith yn gartref i Ysbyty Ynysu Aberystwyth. Yna, ar ôl troi i'r dde, byddwch yn dilyn llwybr i fyny llethrau Pen Dinas sy'n codi dros 100 metr o uchder ac yn rhoi golygfeydd godidog i bob cyfeiriad. Wrth edrych arnynt o'r tir, mae rhagfuriau triphlyg mawr y fryngaer o Oes yr Haearn yn dangos mai'r fryngaer hon yw un o'r enghreifftiau gorau o'i math yng Nghymru. Mae'n rhaid bod grym gwleidyddol eithriadol gan y pennaeth a oedd wedi gwneud i gannoedd o ddynion a menywod symud miloedd o dunelli o ddaear a phridd gan ddefnyddio dim mwy nag offer wedi'u gwneud o gyrn, asgwrn, pren a cherrig. Gellir gweld llwyfannau tai yn hanner deheuol y fryngaer.

I'r chwith o'r llwybr saif yr unig amddiffynfa goncrid sy'n goroesi o blith yr holl amddiffynfeydd a adeiladwyd o gwmpas yr harbwr ym 1940 pan ofnai'r llywodraeth y gallai Hitler feddiannu de Iwerddon a lansio ymosodiad trwy Gymru.

As one nears the car-park at the north end of Tan-y-bwlch beach, remains of a house that was overwhelmed by a storm in 1938 are clearly visible on the right. Immediately beyond the bridge on the right is a building which was once the Aberystwyth Isolation Hospital. Then a right turn will take the walker onto a path leading up the slopes of Pen Dinas which at over 100 metres gives splendid views in all directions. Seen from inland, the mighty triple ramparts of the Iron Age hillfort demonstrate that this is one of the finest examples of its kind in Wales. The political clout exercised by the chief who caused hundreds of men and women to move thousands of tons of earth and stone using only tools of horn, bone, wood and stone must have been extraordinary. House platforms can be seen in the southern half of the fortifications. Pendinas and Traeth Tan-y-bwlch is part of a Local Nature Reserve managed by the County Council.

Back on the path, to the left is the last survivor of the concrete pill-boxes built round the harbour in 1940 when the government feared that Hitler might occupy southern

Er mai byrhoedlog fu'r ofnau hyn, roeddent yn ddigon sylweddol i beri i'r awdurdodau orchymyn bod ffos enfawr yn cael ei chloddio o Geinewydd i'r Tywi fel trap i ddal tanciau. Yn rhyfedd ddigon, y mwnt lle saif yr amddiffynfa oedd safle'r anheddiad dynol hynaf y gwyddys amdano yng Ngheredigion. Mae offer fflint wedi'u darganfod yno o'r cyfnod Mesolithig, chwe mil o flynyddoedd C.C.

Roedd porthladd Aberystwyth unwaith yn ganolfan brysur ar gyfer adeiladu llongau. Adeiladwyd cannoedd o longau, cychod pysgota, sgwneri a llongau mawr (a oedd yn gallu

Ireland and launch an invasion through Wales. Though brief, the alarm was sufficiently great for a huge trench to be dug as a tank-trap from New Quay to the river Tywi. Oddly enough, the mound on which the pill-box stands was the site of the oldest known human settlement in Ceredigion. Flint tools have been found here from the Mesolithic period, six thousand years B.C.

The port of Aberystwyth was once a busy centre of shipbuilding; hundreds of vessels, smacks, schooners, barques - up to 600 tons displacement, were built around the north end of the harbour, using both local oak and

Tagaradr *Restharrow*

Gwallt y Forwyn *Lady's bedstraw*

dadleoli hyd at 600 o dunelli o ddur) o gwmpas pen gogleddol yr harbwr gan ddefnyddio derw lleol a phinwydd a fewnforiwyd o Ganada. Yn wir, cafodd rhai llongau a gofrestrwyd yn Aberystwyth eu hadeiladu yng Nghanada a'u hwylio draw i Gymru wedi hynny; roedd y llongau hyn yn rhatach ond nid oeddent yn para cystal. Dyfodiad y rheilffordd ym 1864 a llwyddiant cynyddol llongau ager a haearn a arweiniodd at dranc y diwydiant adeiladu llongau yn Aberystwyth – adeiladwyd y sgwner olaf ym 1883. Roedd nifer o'r llongau llai o faint yn cael eu defnyddio'n rhan o waith masnachu o gwmpas arfordir Prydain ac Iwerddon, tra bod nifer o'r llongau mwy o faint yn hwylio i Ogledd a De America, Gogledd a De Affrica a Chefnfor yr India. Dynion lleol oedd capteiniaid y llongau hyn, ac roeddent yn eiddo i gonsortia o berchnogion siopau, ffermwyr a gweddwon lleol. Heddiw, mae'r harbwr yn fwy prysur nag y bu yn dilyn datblygiad y marina yn ystod y 1990au. Er mwyn adeiladu'r marina, bu'n rhaid carthu fflatiau llaid i greu ardal o ddur dwfn.

pine imported from Canada. Indeed, some vessels registered at Aberystwyth were actually built in Canada and sailed over; they were cheaper, but did not last so well. It was the arrival of the railway in 1864 together with the increasing success of steam and iron vessels which sounded the knell of Aberystwyth shipping; the last schooner was built in 1883. Many of the smaller vessels were employed in coastal trade around Britain and to Ireland, while the larger ones sailed to North and South America, to North and South Africa and beyond to the Indian Ocean, captained by local men and owned by consortia of local shopkeepers, farmers and widows. Today the harbour is busier than it was thanks to the creation in the 1990s of the

Llys y cryman *Scarlet pimpernel*

© Janet Baxter

Ar ôl mynd heibio i'r amddiffynfa a adeiladwyd ym 1940, dilynwch y trac i lawr tuag at yr harbwr. Mae'r trac hwn yn eich arwain ar hyd ochr y cei gan edrych dros y marina hyd nes i chi wyro rhyw fymryn i'r dde ychydig bellter o ymyl y dŵr. Yna, cadwch i'r chwith gan gerdded at yr odyn galch enfawr a'i phasio. Pan fyddwch wrth ymyl yr afon bron, trowch i'r dde gan fynd i fyny i bont Rheidol. Byddwch yn **Nhrefechan** am ennyd. Mae ardal Trefechan yn cyfateb i ardal Bridgend yn Aberteifi oherwydd dyma lle'r oedd y bobl a oedd yn ymwneud yn wreiddiol â llongau

marina, which meant dredging to create a depth of water where once there were mudflats.

After the 1940 pillbox take the track down towards the harbour. This leads along the quayside overlooking the Marina until you bear right a little way in from the waterfront, then keep left towards and past the massive kiln. Virtually at the river's edge turn right and up onto the Rheidol bridge. You are briefly in **Trefechan.** This is the equivalent of Cardigan's Bridgend, an overflow from the town of people

Castell Pen Dinas a Treath Tan y Bwlch
Pen Dinas hill fort and Tan y Bwlch beach

© Jeremy Moore

wedi symud ar ôl i'r dref dyfu'n rhy llawn. Roedd yr ardal hon yn gartref i'r llofftydd hwyliau, y gwneuthurwyr blociau, y seiri a'r rhafflan a oedd yn gwasanaethu llongau'r harbwr. Croeswch y bont dros y Rheidol, a throi lawr y grisiau tuag at Rummer's, un o adeiladau hynaf y dref a oedd yn cael ei ddefnyddio fel warws yn wreiddiol. Cadwch yr adeilad ar eich ochr chwith, a throi i lawr ail set o risiau, ac wedyn ymlaen tuag at y maes parcio cychod. Yna rydych yn pasio'r *Gap*, ac wedyn gallwch droi i weld y cei. Ar ôl cyrraedd y promenâd,

originally engaged in shipping work. Here were the sail-lofts, block-makers, carpenters and a rope-walk which served the harbour's vessels. Cross the bridge over the Rheidol and turn left, keeping Rummers to your left (one of the town's oldest buildings, originally a warehouse), then down a few steps and walk towards the yacht-and-dinghy park and then past the tidal area known as The Gap (at which point you may turn left along the harbour waterfront). On reaching the promenade the

Harbwr Aberystwyth
Aberystwyth Harbour

© Jeremy Moore

Aberystwyth
Aberystwyth

gallwch barhau i gerdded i'r gogledd ar hyd y promenâd i'r bandstand gan fynd heibio i'r castell a'r pier. Adeiladwyd y ffordd hon hyd at y pier ym 1903 – cyn hynny, roedd y traeth yn union o flaen y castell a'r Hen Goleg.

path follows the seaside pavement northwards past the castle and pier to the bandstand. The roadway round as far as the pier was constructed in 1903; previously the castle and Old College were right above the beach.

Pabi'r môr *Yellow-horned poppy*

© Janet Baxter

Treath Ynyslas
Ynyslas beach

Aberystwyth
Aberystwyth

Aberystwyth i Ynys-las
Aberystwyth to Ynys-las

SN 582820 - 609940
9.8 m / 15.7 km

Castell a thref Aberystwyth. Mae tref Aberystwyth wedi cyflawni sawl swyddogaeth. Swyddogaeth filwrol ac ymerodrol oedd ganddi yn gyntaf. Adeiladwyd castell Aberystwyth ar orchymyn Edward I ar ôl iddo goncro Ceredigion ym 1277, a hynny er mwyn dangos ei buer. Lle bynnag yr oedd hynny'n bosibl, adeiladwyd cestyll Edward o fewn cyrraedd hwylus i'r môr rhag ofn y byddent yn dod dan warchae gan y Cymry gwrthryfelgar. Ar yr un adeg, dechreuwyd codi waliau i amddiffyn y fwrdeistref a oedd newydd gael ei sefydlu trwy siarter. Mae'r castell ei hun wedi'i godi ar siâp diemwnt a addaswyd i gyd-fynd â'r safle. Cipiwyd y castell am gyfnod byr gan y Cymru ym 1282 ond fe'i hailfeddiannwyd yn fuan gan luoedd y Brenin, a methiant fu ymgais arall gan wrthryfelwyr i'w oresgyn yn ystod gwarchae 1294. Dechreuodd y castell fynd

Aberystwyth castle and town. Aberystwyth has had many functions. The first was military and imperial. Aberystwyth's castle was built at the command of Edward I after his conquest of Ceredigion in 1277 to demonstrate his power. Whenever possible Edward's castles were built where they could be provisioned by sea in case of siege by the rebellious Welsh. At the same time walls were begun to defend the newly-chartered borough. The castle itself has a diamond-shaped plan adapted to the site. It was briefly seized by the Welsh in 1282, but quickly retaken by the king's forces, and the rebel siege of 1294 failed to storm it. Soon the castle began to suffer neglect, but in 1404 it was captured by Owain Glyndŵr and held until 1408, when Owain's control of Wales began to weaken. The siege of 1408 included the use of cannon, possibly the first

© Ceredigion

Aberystwyth

Aberystwyth

â'i ben iddo yn fuan wedi hynny ond ym 1404, fe'i cipiwyd gan Owain Glyndŵr ac arhosodd yn ei feddiant tan 1408 pan ddechreuodd rheolaeth Owain dros Gymru lacio. Defnyddiwyd canon yn ystod gwarchae 1408, a hynny am y tro cyntaf ym Mhrydain yn ôl pob tebyg. Bu gweithgarwch yn y castell yn ystod yr ail ganrif ar bymtheg hefyd. Sefydlodd Thomas

occasion for their use in Britain. In the 17th century there was again activity here. The mining entrepreneur Thomas Bushell established a mint here in 1637 for Charles I to pay his troops, only for it to be moved after some five years. The silver came from Bushell's mines a few miles inland. Wales was largely royalist in the Civil Wars, but parliamentary forces captured

© Jeremy Moore

Machlud dros Gofeb Rhyfel Aberystwyth gan Mario Rutelli.
Sunset over Mario Rutelli's Aberystwyth War Memorial

Bushell, entrepreneur ym maes cloddio, fathdy yma ym 1637 er mwyn galluogi Siarl I i dalu ei filwyr, ond symudwyd y bathdy ar ôl pum mlynedd. Daeth yr arian a ddefnyddiwyd yn y bathdy o weithfeydd Bushell rhai milltiroedd o'r arfordir. Roedd Cymru'n bleidiol i'r Goron i raddau helaeth yn ystod y Rhyfeloedd Cartref, ond cipiodd lluoedd y seneddwyr y castell ym 1646 a gorchmynnwyd y dylai'r adeiladau gael eu dinistrio gan bowdwr gwn. Mae hyn yn egluro cyflwr yr adfeilion sydd ar ôl. Mae popty bara, y brif ffynnon, y

the castle in 1646, and it was ordered that the buildings should be destroyed by gunpowder, hence the state of the ruins. One can still see a bread-oven, the main well, the hall (site of the mint) and other intriguing remains.

In the castle courtyard is a stone circle erected in 1915 for the National Eisteddfod intended for that year but postponed until 1916 on account of the war. Many of the stones came from

neuadd (safle'r bathdy) ac adfeilion diddorol eraill i'w gweld o hyd.

Yn llibart y castell, ceir cylch o gerrig a godwyd ym 1915 ar gyfer yr Eisteddfod Genedlaethol a oedd i fod i gael ei chynnal y flwyddyn honno ond a gafodd ei gohirio tan 1916 o ganlyniad i'r rhyfel. Daeth nifer o'r cerrig o chwareli o sawl rhan o Gymru, ac mae pob carreg yn dwyn enw'r sir y cafodd ei thynnu ohoni gan ddefnyddio gwyddor a elwir yn Goelbren y Beirdd. Cafodd yr wyddor a'r cylch eu dyfeisio'n wreiddiol gan yr athrylith anwadal Edward Williams (1740-1826), a adwaenir bob amser wrth ei enw barddol Iolo Morganwg. Honnai Iolo mai ef oedd ceidwad traddodiad seremonïau'r Derwyddon, a llwyddodd i gysylltu ei syniadau â'r Eisteddfod yn hwyr yn ei fywyd. Pan fo'r Eisteddfod yn dychwelyd i Aberystwyth (fel y gwnaeth ym 1952 a 1992), cynhelir seremonïau barddol yn y cylch. Y tu hwnt i dŵr canolog y castell, yn agos i'r promenâd, ceir cofgolofn ryfel ysblennydd Aberystwyth a godwyd ym 1923 gan gerflunydd o'r Eidal, sef Mario Rutelli. Mae Buddugoliaeth yn coroni'r

quarries in the different counties of Wales, and each bears the donor county name in an alphabet known as Coelbren y Beirdd. The alphabet and circle were originally invented by the erratic genius Edward Williams (1740-1826), always known by his bardic name of Iolo Morganwg. Iolo claimed that the ceremonies of the Druids had been preserved by him, and he managed to link his invention to the Eisteddfod late in his own lifetime. Whenever the Eisteddfod returns to Aberystwyth (as it has done in 1952 and 1992) bardic ceremonies are held at the circle. Beyond the central castle tower, close to the promenade, is the splendid Aberystwyth war memorial of 1923, the work of the Italian sculptor Mario Rutelli. Victory crowns the monument, while Peace emerges below from the wrack of war. Note how many of the men commemorated were in either the Royal or the Merchant Navy.

Once Aberystwyth's military function had ceased the town struggled for survival as a small market and fair centre. By the early 19th century it began to gain

gofgolofn ac islaw mae Heddwch yn dod i'r golwg o ddinistr rhyfel. Sylwer faint o'r dynion a gaiff eu coffáu oedd yn perthyn i'r Llynges Frenhinol neu'r Llynges Fasnachol.

Ar ôl i swyddogaeth filwrol Aberystwyth ddod i ben, ceisiodd y dref oroesi fel canolfan fach ar gyfer marchnadoedd a ffeiriau. Erbyn blynyddoedd cynnar y bedwaredd ganrif ar bymtheg, roedd y dref wedi dechrau magu hyder fel porthladd a chanolfan wyliau. Roedd y cyfle i nofio yn y môr a phrydferthwch y cefn gwlad cyfagos wedi dechrau denu ymwelwyr o bell, ac roedd yr ymwelwyr hyn yn barod i dreulio oriau a hyd yn oed diwrnodau yn teithio mewn coetsis anghyfforddus ar hyd ffyrdd tyrpeg anwastad Cymru. O 1864 ymlaen, cludodd y rheilffordd lawer mwy o ymwelwyr i'r dref, ac adeiladwyd gwesty glan môr enfawr ar eu cyfer yn union i'r gogledd o'r castell yn yr arddull Gothig a oedd yn ffasiynol ar y pryd. Yr adeiladwr oedd Thomas Savin, y gur a adeiladodd y rheilffordd o Fachynlleth, a'r pensaer oedd John Pollard Seddon a oedd yn adnabyddus iawn yn oes

confidence both as a port and as a holiday centre. Sea-bathing and the beauties of the surrounding countryside had begun to attract visitors from afar, who were willing to bump and rattle for hours and even days in coaches along the Welsh turnpike roads. From 1864 the railway brought many more visitors, for whom a huge seaside hotel was built immediately north of the castle in the fashionable Gothic style. The builder was Thomas Savin, the same man who built the railway from Machynlleth, and the architect was a well-known Victorian professional, John Pollard Seddon. The venture was rash, bankruptcy followed, and by this chance Aberystwyth was soon able to begin a new career as a major educational and cultural centre.

Savin's failed hotel was bought to house the first University College of Wales, opened in 1872. At first the venture was frail, and almost expired following a major fire in 1885, but it struggled on. Another college appeared, a theological college in what had been the Cambria hotel just north of the university

Fictoria. Menter fyrbwyll oedd hon ac aeth i'r wal yn fuan, a thrwy hynny roedd Aberystwyth wedi gallu dechrau cyfnod newydd yn ei hanes fel canolfan addysgol a diwylliannol o bwys.

Prynwyd gwesty aflwyddiannus Savin fel safle ar gyfer Coleg Prifysgol cyntaf Cymru a agorwyd ym 1872. Roedd y fenter yn ddigon bregus i gychwyn a bu bron iddi ddod i ben yn dilyn tân difrifol ym 1885, ond brwydrodd yn ei blaen. Ymddangosodd coleg arall – y coleg diwinyddol – yn hen adeilad gwesty'r Cambria ychydig i'r gogledd o adeilad y brifysgol. Adwaenir yr adeilad hwn fel yr Hen Goleg erbyn hyn ond mae'n dal i fod yn gartref i ganolfan weinyddol y brifysgol. Codwyd Llyfrgell Genedlaethol Cymru yn dilyn hynny. Mae gan Brifysgol Cymru Aberystwyth ryw 8,000 o fyfyrwyr erbyn hyn ac mae presenoldeb y brifysgol, ynghyd â'r Llyfrgell a'r ysgolion lleol, yn golygu bod prif swyddogaethau'r dref yn ymwneud ag addysg a diwylliant. Fodd bynnag, mae twristiaeth yn amlwg o hyd fel y tystia'r promenâd ar unrhyw ddiwrnod braf. Roedd y pier gwreiddiol

© Ceredigion

Llyfrgell Genedlaethol Cymru
The National Library of Wales

building, itself now known as Old College, though it is still the university's administrative centre. The National Library of Wales followed. The University of Wales at Aberystwyth now has some 8,000 students, and with the Library and the local schools makes education and culture the principal occupations of the town, though tourism continues, as the promenade will testify on any sunny day. The pier (1865) was originally much longer, but half of it was torn away by storms in 1866 and 1938; the latter also wrought havoc with the north end of the promenade.

Town sights to see include the splendid inland façade of the Old College, the nearby Assembly Rooms (now part of the university), the many Victorian

(1865) yn llawer hwy, ond dinistriwyd ei hanner gan stormydd ym 1866 a 1938. Roedd storm 1938 wedi gwneud difrod i ben gogleddol y promenâd hefyd.

Mae atyniadau'r dref yn cynnwys ffasâd ysblennydd yr Hen Goleg (ar yr ochr nad yw'n wynebu'r môr), yr Ystafelloedd Ymgynnull sydd gerllaw (sydd bellach yn rhan o'r brifysgol), y tai tref niferus o oes Fictoria â'u porticos clasurol, a'r llibartiau o oes Fictoria yn Eastgate Street. Mae'n rhaid ymweld ag

town houses with their classical porticos, and the Victorian courtyards in Eastgate Street. The excellent Ceredigion Museum, occupying a one-time Edwardian music-hall theatre close to the promenade, is essential viewing. Among the town's many services are the hospital, rail and bus, hotels and pubs, shops (good bookshops), the county library, a cinema in the town and another in the Arts Centre along with a theatre and concert hall.

Yr Hen Goleg
The Old College

Amgueddfa ardderchog Ceredigion sydd wedi'i lleoli mewn adeilad Edwardaidd gerllaw'r promenâd a oedd unwaith yn theatr gerdd. Mae'r dref yn cynnig nifer o wasanaethau gan gynnwys ysbyty, gorsaf reilffordd, gorsaf fysus, gwestai a thafarndai, siopau (siopau llyfrau da), llyfrgell y sir, a sinema. Ceir sinema arall yng Nghanolfan y Celfyddydau ynghyd â theatr a neuadd gyngerdd.

Mae'r llwybr yn parhau hyd at ddiwedd y promenâd gan droi i'r dde a dringo'r grisiau i Reilffordd y Clogwyn (a adeiladwyd ym 1896 ac sy'n mesur 240 metr o hyd a 120 metr o uchder). Yna, mae'r llwybr yn troi i'r chwith ac yn dringo'n serth dros greigiau lle

The path continues along the promenade to the end, then turns right up steps to the Cliff Railway (built 1896, 240 metres long and rising 120 metres); then left and up the steep path over rocks where there are many signs of quarrying. This is Craig-lais, jokingly rechristened Constitution Hill. Public gardens were in existence here a century ago, accounting for the presence of Spanish gorse and the red berries of Potentilla Montana. At the summit is a café and camera obscura. Although it is possible at low tide to scramble from the end of the promenade along the rocks to Clarach this is not to be encouraged, and on no account should any hiker seek to climb the crumbling cliffs here.

Rhodfa'r Môr a Chraig-lais
Marine Terrace and Constitution Hill

ceir llawer o arwyddion o waith cloddio. Dyma Graig-lais sydd wedi'i hailenwi'n gellweirus yn '*Constitution Hill*'. Roedd gerddi

Although sea-bird life is richer in the southern part of the coast, the hilltop between Aberystwyth and Clarach is a good place to

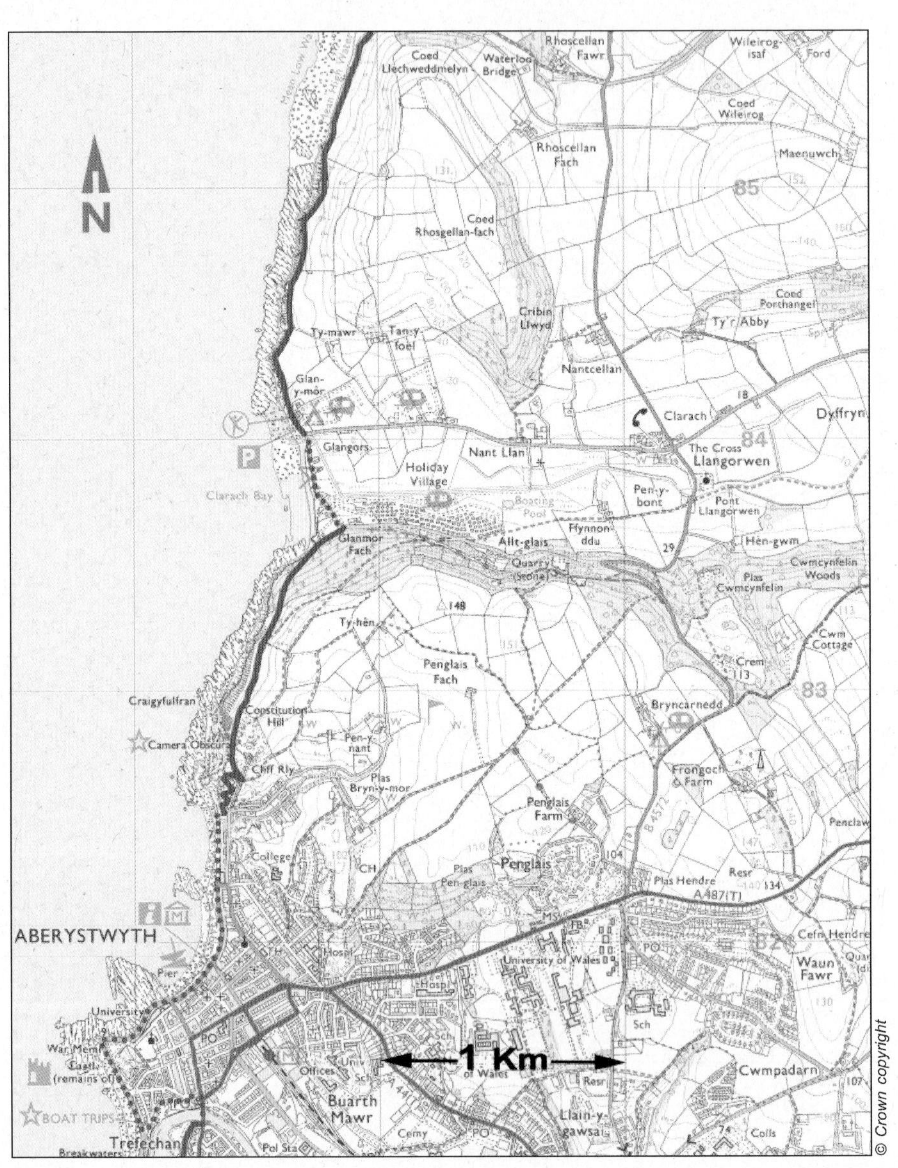

Llwybr arfordir dros Graig-lais
Coast path over Constitution hill

cyhoeddus ar gael yn y fan hon rhyw ganrif yn ôl, ac mae hyn yn egluro pam fod banadl Sbaen ac aeron cochion y Potentilla Montana i'w gweld yma. Ar y copa, ceir caffi a chamera obscura. Er bod modd sgrialu ar hyd y creigiau o ddiwedd y promenâd i Glarach pan fo'r llanw'n isel, nid yw hynny'n cael ei argymell, ac ni ddylai unrhyw gerddwr geisio dringo'r clogwyni bregus yn y fan hon ar unrhyw gyfrif. Mae brain coesgoch i'w gweld ar y clogwyni hyn ac yn y caeau cyfagos ac yn ystod y gwanwyn, gellir gweld tinwennod y garn, gwenoliaid a gwenoliaid y

linger. Oystercatchers scurry across the rocks, shags and cormorants can be seen drying their wings after swimming, choughs wheel and turn, kestrels hunt the cliff slopes, choughs wheel overhead, a peregrine occasionally appears, the usual gulls are always in view, and in spring and autumn migrating swallows, house martins and wheatears pass by. Rising from the shore is Craig y Fulfran, a favourite drying-place for cormorants. The path leads down from the summit of Craig-lais beside a conifer plantation into

© Janet Baxter

Clarach. *Clarach*

bondo sy'n ymfudo yn symud tua'r gogledd.

Clarach. Er bod yr amrywiaeth o adar y môr yn well yn rhannau deheuol yr arfordir, mae copa'r bryn rhwng Aberystwyth a Chlarach yn lle da i oedi i gael golwg ar adar. Mae piod môr yn sgrialu ar draws y creigiau; gellir gweld mulfrain gwyrddion a mulfrain yn sychu'u hadenydd ar ôl nofio yn y môr; mae brain coesgoch yn troi ac yn troelli yn yr awyr; mae cudyllod cochion yn hela ar hyd llethrau'r clogwyni; mae ambell hebog tramor yn ymddangos o bryd i'w gilydd; mae'r gwylanod arferol i'w gweld bob amser; ac yn ystod y gwanwyn a'r hydref, mae gwenoliaid, gwenoliaid y bondo a

the valley of the river Clarach. The path becomes a road for a few yards before reaching the Clarach footbridge and climbing gently towards Borth. The Clarach valley itself has the U-shaped profile typical of glaciation.

Until mid-20th century **Clarach** was a quiet spot, but since then there have been extensive developments of trailer and chalet parks, together with a shop and pub, and a bus service. Inland is the hamlet of Llangorwen, with its Oxford Movement church, the creation of the Williams family of Cwmcynfelyn mansion on the hill to the south.

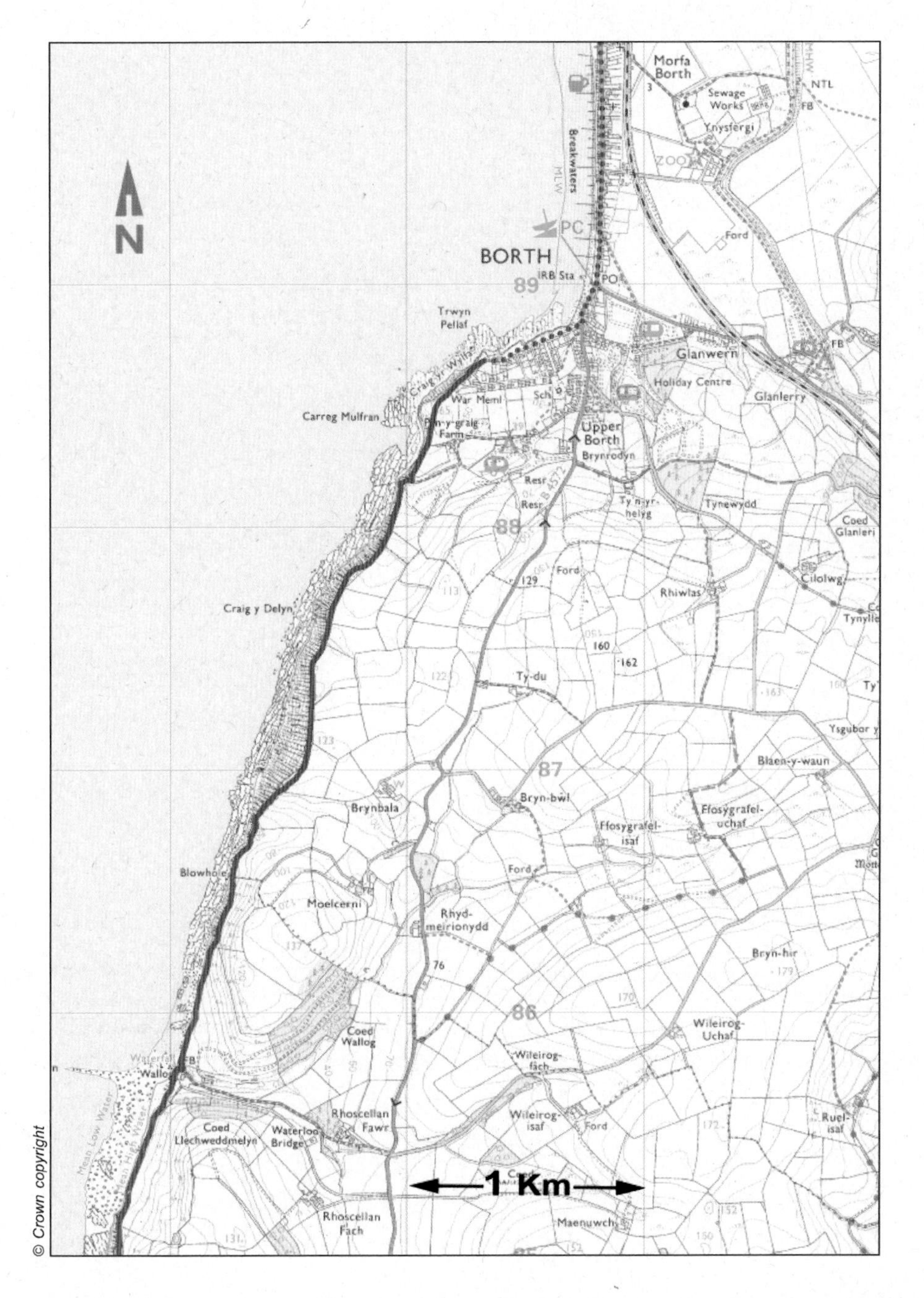
Morfa Borth
Sewage Works
NTL
FB
Ynysfergi
ZOO
Breakwaters
MLW
PC
Ford
BORTH
IRB Sta
PO
89
Trwyn Pellaf
Craig yr Wylfa
Glanwern
Holiday Centre
Glanlerry
FB
War Meml
Sch
Carreg Mulfran
Pen-y-graig Farm
Upper Borth
Brynrodyn
Resr
Resr
B 4572
Ty'n-yr-helyg
Tynewydd
Coed Glanleri
88
Ford
129
113
Rhiwlas
Cilolwg
Craig y Delyn
160
162
Ty-du
122
163
Ysgubor
123
87
Blaen-y-waun
Brynbala
Bryn-bwl
Ffosygrafel-uchaf
Ffosygrafel-isaf
Blowhole
Ford
Moelcerni
Rhyd-meirionydd
137
76
Bryn-hir
179
170
86
Coed Wallog
Wileirog-Uchaf
Waterfall
FB
Wallog
Mean Low Water
Mean High Water
Wileirog-fach
Rhoscellan Fawr
Wileirog-isaf
Ford
Coed Llechweddmelyn
Waterloo Bridge
172
Ruel-isaf
1 Km
Rhoscellan Fach
Maenuwch
131
152
150
N

© Janet Baxter

Llwyfan traeth gwrymiog
Corrugated beach platform

thinwennod y garn yn pasio heibio wrth iddynt ymfudo. Mae'r llwybr yn arwain i lawr o amgylchedd hafaidd Craig-las, wrth ochr coedwig goniffer, i mewn i ddyffryn afon Clarach. Mae'r llwybr yn troi'n ffordd am ychydig lathenni cyn cyrraedd pont droed Clarach a dringo'n raddol tuag at y Borth. Dyffryn siâp U yw dyffryn Clarach ei hun sy'n nodweddiadol o brosesau rhewlifol.

Hyd at ganol yr ugeinfed ganrif, roedd Clarach yn fan tawel ond ers hynny, mae datblygiadau sylweddol wedi digwydd yn y pentref sy'n cynnwys parciau carafanau a chabanau gwyliau,

Before continuing on the path, it is worth visiting Clarach beach and walking a little way north to look at the complex bedding of the low cliffs. The 400 million-year-old rock strata are crowned with thick layers of glacial till from the last Ice Age. In many places on the next section of the path the cliff verges are unstable, and the path has had to be re-routed twice in recent years. It is best to walk to Wallog when the tide is low in order to see Sarn Gynfelyn. Seen from above, the eroded rocks beneath the cliffs display extraordinary patterns.

siop, tafarn, a gwasanaeth bws. Ychydig ymhellach o'r arfordir mae pentrefan Llangorwen, lle ceir eglwys sy'n perthyn i Fudiad Rhydychen. Codwyd yr eglwys hon gan deulu Williams a oedd yn byw ym mhlasty Cwmcynfelyn sydd ar y bryn i'r de.

Cyn parhau ar y llwybr, mae'n werth ymweld â thraeth Clarach a cherdded ychydig bellter i'r gogledd er mwyn edrych ar haenau cymhleth y clogwyni isel. Caiff y strata o gerrig sy'n 400 miliwn oed eu coroni gan haenau trwchus o rewglai o'r Oes Iâ ddiwethaf. Mae ymylon y clogwyn yn ansefydlog mewn sawl man ar ran nesaf y llwybr, a bu'n rhaid newid cwrs y llwybr ddwywaith yn ystod y blynyddoedd diwethaf. Mae'n well cerdded i'r Wallog pan fo'r llanw'n isel er mwyn gweld Sarn Gynfelyn. Wrth edrych arnynt o uchder, mae patrymau anhygoel i'w gweld ar y creigiau sydd wedi'u herydu sy'n gorwedd islaw'r clogwyni. Mae digon o flodau gwyllt i'w gweld hefyd: clustogau Mair, milddail, clychau'r eos, y bengaled, y friwydd felen, yr amranwen arfor, heboglys a'r clafrllys. Ar ôl rhyw 1500 metr, mae'r llwybr yn mynd i lawr y llethr i'r Wallog.

There are plenty of wild flowers to be seen: thrift, yarrow, harebells, knapweed, lady's bedstraw, sea mayweed, hawkweed and scabious. After some 1500 metres the path slopes down to Wallog.

At Wallog there are three features; the limekiln restored by United Nations volunteers, the mansion and Sarn Gynfelyn. Wallog mansion is a 19th century creation, the closest to the sea of any country house in the county. By the footbridge over the stream there is a path leading to the Borth road. The beach is well worth a visit in spite of the excessive amount of plastic which constantly drifts up against the Sarn and is deposited on the foreshore.

Sarn Gynfelyn. At low tide this splendid feature looks like the hardcore foundation of an airport runway, for it has a remarkably artificial appearance. Yet it is completely natural, a moraine of glacial debris which runs out, with one small gap, for eleven kilometres to an underwater reef once known as Caerwyddno, now called the Patches, dangerous for shipping. Those

© Janet Baxter

Odyn galch yn Wallog
Lime kiln at Wallog

Ceir tair nodwedd yn y Wallog, sef yr odyn galch a gafodd ei hadfer gan wirfoddolwyr y Cenhedloedd Unedig, y plasty a Sarn Gynfelyn. Adeiladwyd plasty'r Wallog yn ystod y bedwaredd ganrif ar bymtheg ac o blith holl blastai'r sir, dyma'r un sydd agosaf i'r môr. Ger y bont droed dros y nant, ceir llwybr sy'n arwain i ffordd y Borth. Mae'n werth ymweld â'r traeth er gwaethaf yr holl ddeunydd plastig sy'n drifftio i fyny yn barhaus yn erbyn y Sarn ac sy'n cael ei adael ar y lan.

Sarn Gynfelyn. Pan fo'r llanw'n isel, mae'r nodwedd hynod hon yn edrych fel llain lanio galed

gifted with good eyesight may on a clear day see the Patches buoy miles out to sea. The names Cynfelyn, Gwyddno and (G)Wallog form an interesting trio of names from Welsh legend: Cynfelyn a local saint, Gwallog named in an early Welsh poem and Gwyddno a legendary king of Ceredigion. Sarnwyddno was probably the original name for the Sarn. It is the southern edge of the Pen-llwn and Sarnau Special Area of Conservation.

Sarn Gynfelyn, together with the similar Sarn Badrig in Meirionnydd and the submerged

Uchod: Sarn Cynfelyn
Above: Sarn Cynfelyn

Isod: Plas Wallog a'r Sarn
Below: Wallog Mansion and the Sarn

Defaid ar Sarn Cynfelyn
Sheep on Sarn Cynfelyn

mewn maes awyr gan fod golwg artiffisial iawn arni. Fodd bynnag, mae Sarn Gynfelyn yn nodwedd hollol naturiol. Marian o weddillion rhewlifol yw Sarn Gynfelyn sy'n ymestyn am un ar ddeg cilomedr (gydag un bwlch bach) i rîff danddwr a elwid yn Gaerwyddno ar un adeg ond sydd bellach yn cael ei galw'n Patches. Mae'r rîff hon yn beryglus i longau. Ar ddiwrnod clir, gall y rheini â llygaid da weld bwi Patches filltiroedd i ffwrdd yn y môr. Mae Cynfelyn, Gwyddno a (G)Wallog yn driawd o enwau diddorol sy'n perthyn i chwedloniaeth Cymru: roedd Cynfelyn yn sant lleol; caiff Gwallog ei enwi mewn cerdd Gymraeg gynnar; ac roedd Gwyddno yn frenin chwedlonol ar Geredigion. Mae'n debyg mai

forest at Borth (see below), were the probable stimuli for the creation of the myth of Cantre'r Gwaelod, the submerged kingdom, splendidly retold by Thomas Love Peacock in his comic novel *The Misfortunes of Elphin* and celebrated in J.J. Williams's celebrated Welsh poem 'Clychau Cantre'r Gwaelod'. Briefly, Cantre'r Gwaelod was the rich lowland part of Ceredigion, defended from the sea by mighty ramparts until their neglect by Gwyddno's steward Seithennin brought disaster; a great storm breached the walls and swept over the kingdom, leaving Gwyddno only the infertile rump of his lands, though the bells of the drowned churches can still

Sarnwyddno oedd enw gwreiddiol y Sarn. Mae Sarn Gynfelyn ar ymyl deheuol Ardal Cadwraeth Arbennig Pen Llwn a'r Sarnau.

Mae'n debyg mai Sarn Gynfelyn, yn ogystal â Sarn Badrig ym Meirionnydd (sy'n debyg iawn) a'r goedwig sydd wedi boddi yn y Borth (gweler isod), a oedd wedi arwain at greu chwedl Cantre'r Gwaelod am deyrnas a gafodd ei boddi. Cafodd y chwedl hon ei hailadrodd yn wych gan Thomas Love Peacock yn ei nofel ddigri *The Misfortunes of Elphin*, a chaiff y chwedl ei dathlu yn y gerdd Gymraeg enwog gan J.J. Williams - 'Clychau Cantre'r Gwaelod'. Am gyfnod byr, roedd Cantre'r Gwaelod yn ffurfio rhan o iseldir cyfoethog Ceredigion, ac roedd yn cael ei amddiffyn wrth y môr gan ragfuriau anferth hyd nes i esgeulustod Seithennin, goruchwyliwr Gwyddno, arwain at drychineb. Llwyddodd storm enbyd i dorri trwy'r waliau ac ysgubodd y môr dros y deyrnas gan adael Gwyddno heb ddim byd ond gweddill diffrwyth ei dir. Yn ôl y sôn, mae clychau'r eglwysi a foddwyd i'w clywed o hyd ar noson dawel yn Aberdyfi.

be heard on a quiet evening at Aberdyfi – so they say.

From Sarn Gynfelyn can be seen the steep slope of Moel Cerni up which the walker must climb to continue to Borth. Also visible is the remarkable rock formation of Craig y Delyn (Harp Rock) where the broken strata of Aberystwyth grits suddenly sweep upwards like the strings of a harp, set against the Borth mudstones. It is fairly easy at low tide to walk to Craig y Delyn and back, but the temptation to avoid the coastal path's undulations by walking all the way to Borth along the foreshore should be resisted unless begun on an ebbing spring tide. After Moel Cerni the path descends to a pair of footbridges partly sheltered from sea breezes by shrubbery: blackthorn, brambles, blackthorn, honeysuckle and willow. Then comes a long steep climb to the highest point of the walk north of New Quay, at 123 metres above the sea. Near the summit are signs of quarrying, though to what purpose is not clear. From here the path leads on up-and-down until it is possible to reach the shore at the small bay of Aberwennol. Then one climbs to

Craig y Delyn
Harp Rock

O Sarn Gynfelyn, gellir gweld llethr serth Moel Cerni, ac mae'n rhaid i gerddwyr ddringo'r llethr hon i gyrraedd y Borth. Mae modd gweld ffurfiant creigiau hynod Craig y Delyn o'r fan hon hefyd, lle mae haenau toredig grutiau Aberystwyth yn esgyn i fyny'n sydyn fel tannau telyn yn erbyn cerrig llaid y Borth. Mae'n eithaf hawdd cerdded i Graig y Delyn ac yn ôl pan fo'r llanw'n isel, ond dylid gwrthsefyll y temtasiwn i osgoi bryniau a phantiau'r llwybr drwy gerdded yr holl ffordd i'r Borth ar hyd y traeth (oni bai eich bod yn gwneud hynny yn ystod gorlanw

the Borth War Memorial, with magnificent views of Borth itself and its five-kilometre beach reaching to Ynys-las, of Cors Fochno and the Dyfi estuary. The memorial was shattered by lightning in 1983 and rebuilt. From here the path descends via Cliff Road into Borth village. The name Borth simply means a harbour or boating-place.

Borth

That Borth village exists at all is due to the creation of a huge bank or spit of pebbles by the forces of longshore drift That this

Golygfa eang: Borth, Cors Fochno, afon Dyfi a Meirionnydd
Panorama: Borth and its Bog, the Dyfi and Meirionnydd

© Janet Baxter

sydd ar drai). Ar ôl Moel Cerni, mae'r llwybr yn arwain i lawr at ddwy bont droed a gaiff eu cysgodi'n rhannol rhag awel y môr gan lwyni o ddrain duon, llwyni mwyar duon, gwyddfid a choed helyg. Yna, ceir llethr serth a hir sy'n arwain at bwynt uchaf y daith i'r gogledd o Geinewydd (123 metr uwchlaw'r môr). Ger y copa, ceir arwyddion o waith cloddio ond nid yw'n glir beth oedd diben y gwaith cloddio hwnnw. O'r fan hon, mae'r llwybr yn esgyn ac yn syrthio hyd nes bod modd cyrraedd y lan ym mae bach Aberwennol. Yna, mae'r llwybr yn dringo i Gofgolofn Ryfel y Borth lle ceir golygfeydd gwych o bentref y Borth a'i draeth sy'n ymestyn am bum cilomedr i Ynys-las, ynghyd â golygfeydd o Gors Fochno ac aber afon Dyfi. Cafodd y gofgolofn ei dinistrio gan fellten ym 1983 ond fe'i hailadeiladwyd. O'r fan hon, mae'r llwybr yn mynd i lawr i bentref y Borth drwy Cliff Road. Ystyr yr enw Borth yw harbwr neu le hwylio.

Y Borth

Datblygodd pentref y Borth ar ôl i rymoedd drifft y glannau greu

is a comparatively recent phenomenon is made clear by the existence of the 'drowned forest' which is visible from time to time when the intertidal sand is temporarily washed away, exposing tree-stumps and peat-beds. Bones of the mighty wild ox, the auroch, have been found here. The tree remains are mostly of pine, birch, alder and oak, which flourished when the sea-level was lower, over six thousand years ago. As the sea-level rose, the trees slowly died and the land became a swampy fen, followed by the growth of the spit on which the village now stands, while behind the spit Cors Fochno (Borth bog – see below) was slowly formed, followed even more recently (perhaps only in the last eight hundred years) by the sand-dunes at Ynys-las. Thus this whole geological landscape is less than ten thousand years old.

Walkers on the beach may wonder what tempted people to build their houses on such a vulnerable landscape, where a gale at high tide may drive seawater into their kitchens. The answer is twofold. Firstly, fishing offered a livelihood to

© Janet Baxter

Tai a adeiladwyd i mewn i'r gefnen o raean bras ac a ddiogelir gan yr amddiffynfeydd môr
Houses built into the shingle ridge and protected by sea defences

cefnen neu dafod enfawr o gerrig mân. Mae'n glir mai ffenomenon cymharol ddiweddar yw hwn am fod 'coedwig danddwr' yn yr ardal sydd i'w gweld o bryd i'w gilydd pan gaiff y tywod rhynglanwol ei olchi i ffwrdd dros dro i ddatgelu bonion coed a gwelyau mawn. Mae esgyrn yr ych mawr gwyllt, neu'r ych hirgorn, wedi'u darganfod yma. Gweddillion coed pinwydd, coed bedw, coed gwern a choed derw sydd i'w gweld yma'n bennaf, ac roedd y coed hyn yn ffynnu pan oedd lefel y môr yn is - dros chwe mil o

men with small boats which could be beached and therefore did not need the shelter of a harbour; secondly, when so much land was owned by so few people, the pebble bank offer no apparent advantage to a landlord, and so it was available to the poor to build their pebble cottages. The coming of the railway in 1864 brought tourists and retired people in droves, while fishing has dwindled to a tithe of what it was, but the village retains a considerable degree of individuality. Borth

Borth a'i thraeth
Borth and its beach

flynyddoedd yn ôl. Wrth i lefel y môr godi, bu farw'r coed yn raddol a throdd y tir yn ffen wlyb. Yna, datblygodd y tafod y mae'r pentref yn sefyll arno nawr a'r tu ôl i'r tafod hwnnw, ffurfiwyd Cors Fochno yn raddol (gweler isod). Yn fwy diweddar eto (yn ystod yr wyth can mlynedd diwethaf efallai), ffurfiwyd y twyni tywod yn Ynys-las. Felly, mae'r dirwedd ddaearegol hon i gyd yn llai na deg mil o flynyddoedd oed.

Efallai y bydd y sawl sy'n cerdded ar y traeth yn synnu bod pobl wedi mentro adeiladu eu tai ar dirwedd mor fregus - lle gall gwyntoedd cryfion yn ystod cyfnod o lanw uchel olygu bod eu ceginau'n cael eu boddi gan ddur

offers a number of services: a railway station, bus service, a Youth Hostel, shops (including a chemist), pubs and cafés, golf links, primary school, and an animalarium.

Grwynau sy'n cryfhau'r traeth
Groynes consolidate the beach

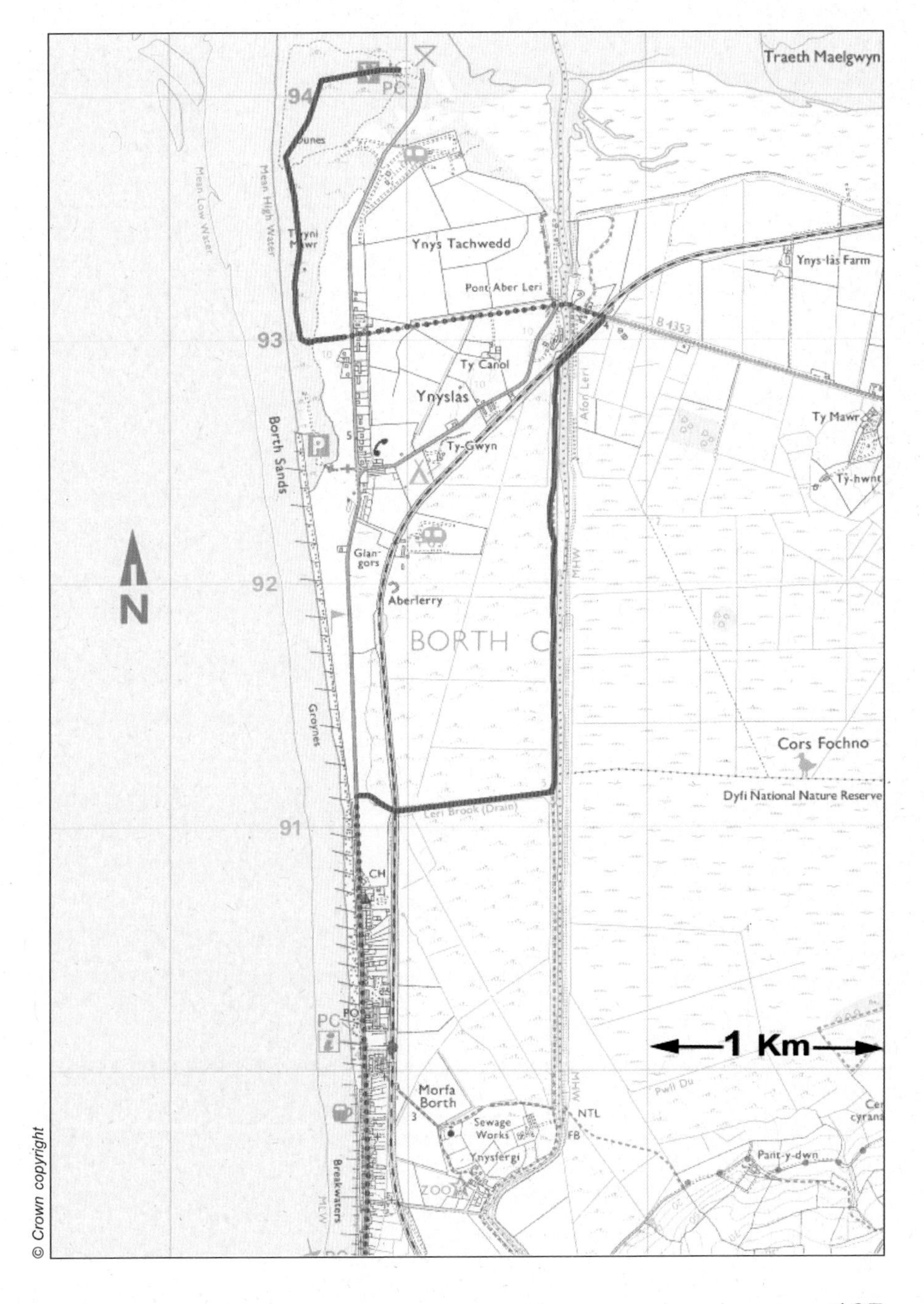
Traeth Maelgwyn
PC
94
Dunes
Mean Low Water
Mean High Water
Ynys Tachwedd
Ynys-las Farm
Pont Aber Leri
B 4353
93
Ty Canol
Ynyslas
Afon Leri
Ty Mawr
Borth Sands
Ty-Gwyn
Ty-hwnt
Glan-gors
92
Aberlerry
BORTH C
Groynes
Cors Fochno
Dyfi National Nature Reserve
Leri Brook (Drain)
91
CH
PC
PO
MHW
1 Km
Pwll Du
Morfa Borth
Sewage Works
NTL
FB
Ynysfergi
Pant-y-dwn
ZOO
Breakwaters
MLW
N

y môr. Mae'n debyg bod dau reswm yn egluro hyn. Yn gyntaf, roedd pysgota'n cynnig bywoliaeth i ddynion a oedd yn berchen ar gychod bach y gellid eu llusgo i'r lan ac nad oedd angen cysgod harbwr arnynt; yn ail, ar adeg pan roedd cymaint o dir yn eiddo i gyn lleied o bobl, nid oedd y gefnen o gerrig mân yn cynnig unrhyw fudd ymddangosiadol i dirfeddiannwr ac felly roedd modd i'r tlodion adeiladu eu bythynnod o gerrig mân arni. Roedd dyfodiad y rheilffordd ym 1864 wedi galluogi heidiau o dwristiaid a phobl wedi

Borth to Ynys-las

Like New Quay, Borth presents the walker with the high-tide problem. If the tide is falling, the firm sand will carry you all the way to Ynyslas. If the tide is high, walking through the village is the only option until you pass the golf club. There is then a signed path from the B4353 across the golf club links to the Dyfi National Nature Reserve. A straight track leads to the bank of the river Leri and thence like a ruler to the railway bridge at Ynys-las. After

Boncyffion y goedwig a foddwyd
Stumps of the sunken forest

© Janet Baxter

ymddeol i ddod i'r Borth, ond mae'r diwydiant pysgota wedi diflannu'n gyfan gwbl bron. Serch hynny, mae'r pentref wedi llwyddo i gadw ei natur unigryw i raddau helaeth. Mae'r Borth yn cynnig nifer o wasanaethau: gorsaf reilffordd, gwasanaeth bws, hostel ieuenctid, siopau (gan gynnwys fferyllfa), tafarndai a chaffis, cwrs golff arfordirol, ysgol gynradd a su bach.

Y Borth i Ynys-las

Fel Cei Newydd, mae gan Borth broblem llanw uchel i'r cerddwr. Os yw'r llanw yn gostwng, bydd tywod cadarn yn mynd â chi'r holl ffordd i Ynys-las. Os yw'r llanw yn uchel, cerdded drwy'r pentref yw'r unig ddewis nes y byddwch yn mynd heibio i'r clwb golff. Mae yna lwybr gydag arwydd o'r B4353 ar draws y cwrs golff i Warchodfa Natur Genedlaethol Dyfi. Mae trac syth yn arwain i lan afon Leri ac yna fel pren mesur hyd at y bont reilffordd yn Ynys-las. Ar ôl croesi'r afon, ewch yn eich blaen i'r ffordd a throwch i'r chwith cyn belled â'r bont ffordd dros afon Leri. Ar ôl croesi'r bont hon tua'r gorllewin, gallwch droi i'r dde heibio i iard llongau Steelkit (gweler isod) gan ddilyn trac sy'n

crossing the river continue to the road and turn left as far as the road bridge over the Leri. Having crossed this bridge westwards, one can either turn right past the Steelkit boatyard (see below) along a track which leads to the Dyfi salt-marshes and the estuary, or one can keep straight ahead along the bridleway to the Ynys-las road and cross the golf-links to the beach, turning northwards to the journey's end. There is a bus service between Borth and the road junction at Ynys-las.

The low-tide beach from Borth to Ynys-las seems sometimes devoid of life, at other times littered with biological detritus: shells of sea urchins, oysters, whelks, razorfish, spiny cockles, striped venus, as well as mermaids' purses (dogfish egg-cases), cuttle bones, whelk-egg balls, starfish and crab shells.

Reaching Ynys-las, a weary walker may be glad to take one of the two marked paths across the nature reserve dunes described below, whereas the conscientious hiker will walk right round the headland to enjoy the view of Aberdyfi, then back to the

arwain i forfeydd heli ac aber afon Dyfi, neu gallwch barhau i fynd yn syth yn eich blaen ar hyd y llwybr ceffylau hyd at ffordd Ynys-las a chroesi'r cwrs golff i'r traeth gan droi i'r gogledd er mwyn cyrraedd pen y daith. Mae yna wasanaeth bws rhwng Borth a chyffordd y ffordd yn Ynys-las.

Weithiau, mae'n ymddangos nad oes unrhyw fywyd gwyllt i'w weld ar y traeth rhwng y Borth ac Ynys-las yn ystod llanw isel ond ar adegau eraill, mae'n frith o falurion biolegol: cregyn môr-ddraenogod, wystrys, chwalcod, môr-gyllyll, cocos pigog, cregyn rhesog y forwyn yn ogystal â phyrsau môr-forwynion, esgyrn ystifflogod, peli wyau chwalcod, sêr môr a chregyn crancod.

© Richard Hartnup

Tegeirian y Gwenyn *Bee Orchid*

car-park and the visitors' centre. The following features on this inland section of the walk deserve comment.

Rhostogod cynffonddu
Black-tailed godwits

© Janet Baxter

Cerddwyr ar'r Treath Ynyslas
Walkers on Ynyslas beach

Ar ôl cyrraedd Ynys-las, efallai y bydd cerddwyr blinedig yn falch o gael dilyn un o'r ddau lwybr sydd wedi'u marcio ar draws twyni'r warchodfa natur a ddisgrifir isod, ond efallai y bydd cerddwyr cydwybodol yn cerdded o gwmpas y pentir er mwyn mwynhau'r olygfa a geir o Aberdyfi cyn dychwelyd i'r maes parcio a'r ganolfan ymwelwyr. Mae'r nodweddion canlynol, sydd i'w gweld ar y rhan hon o'r daith ar y mewndir, yn haeddu sylw.

Afon Leri a Chors Fochno

Hyd at flynyddoedd cynnar y bedwaredd ganrif ar bymtheg, roedd afon Leri'n llifo'n araf drwy'r gors fawr heb i ddyn amharu'n ormodol arni. Mae'n wir fod ffermwyr yr ardal gyfagos wedi bod yn ymhél â'r gors gan dorri mawn a cheisio gwella cyflwr eu tir corsiog, ond ychydig iawn yr oedd sawl cenhedlaeth o deulu Prys Gogerddan (a oedd yn berchen ar y tir) wedi ei wneud i amharu ar y gors. Dechreuodd popeth newid ym 1813 ar ôl i Ddeddf Cau Tir Comin gael ei phasio a olygai bod yn rhaid codi arglawdd o boptu afon Dyfi a draenio'r gors. Er mwyn gwneud hynny, rhaid

Afon Leri and Cors Fochno

Until the early 19th century the Leri flowed slowly through the great bog without overmuch human interference. True, the surrounding farmers had been nibbling at the bog, cutting peat and seeking to improve their wetlands, but generations of the Pryses of Gogerddan, who owned the territory, had done little to interfere. In 1813 all that began to change with the passing of an Act of Enclosure, which meant that the Dyfi must be embanked and the bog be drained. To do that the rivers had to be disciplined. A huge cut was dug by hand directly northwards from near Ynysfergi, the rock on which Borth church stands, for four kilometres to the Dyfi estuary. So flat is the land that the whole cut is tidal. The old course of the Leri can still be traced by the reed-beds which meander gently, more or less north-westwards, so that the river had its original estuary at Aberleri, flowing through what is now the golf-course. East of the Leri the river Clettwr was also straightened.

Fortunately for the environment, the attempt to drain the bog was only partially successful, and

© Janet Baxter

Cors Fochno
Cors Fochno

oedd newid llwybrau'r afonydd. Cloddiwyd toriad enfawr â llaw yn union i'r gogledd ger Ynysfergi, sef y graig y mae eglwys y Borth yn sefyll arni, ac ymestynnai'r toriad hwn am bedwar cilomedr hyd at aber afon Dyfi. Mae'r ardal hon mor wastad hyd nes bod y toriad hwn i gyd yn cael ei orchuddio gan y llanw. Gellir olrhain hen lwybr afon Leri trwy ddilyn y corslwyni sy'n ymdroelli'n araf i'r gogledd-orllewin fwy neu lai, a gellir gweld mai yn Aberleri yr oedd aber gwreiddiol yr afon a'i bod yn arfer llifo trwy'r tir yr adeiladwyd y cwrs golff presennol arno. Cafodd afon Cletwr, sydd i'r dwyrain o afon Leri, ei sythu hefyd.

Yn ffodus i'r amgylchedd, dim ond llwyddiant rhannol fu'r ymgais i ddraenio'r gors ac er i ran helaeth ohoni gael ei throi'n dir amaethyddol, roedd digon o'r gors wedi goroesi i'n galluogi i gyfeirio ati fel yr enghraifft orau ym Mhrydain o gyforgors ar iseldir sy'n tyfu ac sy'n cynnwys nifer o rywogaethau o figwyn. Arweiniodd hyn at ddynodi'r gors yn rhan o safle Bïosffer UNESCO ar lannau afon Dyfi – yr unig safle o'i fath yng Nghymru. Mae'n cynnwys

though much became agricultural land, enough survived for it to remain the best example in Britain of an actively growing lowland raised bog with many sphagnum species, which led to its being designated a part of the Dyfi UNESCO Biosphere site, the only one in Wales. It has insectivorous plants, bog myrtle and the county flower, bog rosemary, as well as extensive reed-beds.

Plenty of interesting insects can be seen here and along much of the path, including a whole range of dragonflies, hawkers and darters, butterflies, moths and bees, especially in the Ynys-las, Ynys-hir and Cors Fochno reserves. In autumn plump woolly-bear caterpillars, the offspring of several species of moths, may be found crossing the path in search of a hideout in which to pupate. I have known November sunshine to bring a small tortoiseshell butterfly out of a sea-cave at Clarach.

In summer the reserve attracts entomologists to study its dragonflies and moths, botanists to its bog plants. A special rarity is the rosy marsh moth, long

© Janet Baxter

Twyni tywod, Ynys-las
Sand dunes at Ynys-las

planhigion pryfysol, helyg Mair a blodyn y sir, sef andromeda'r gors, ynghyd â chorslwyni helaeth.

Gellir gweld digonedd o bryfed diddorol yma ac ar hyd y rhan fwyaf o'r llwybr, gan gynnwys ystod eang o weision y neidr, hebogwyr a gwibwyr, ieir bach yr haf, gwyfynod a gwenyn. Mae'r pryfed hyn i'w gweld yn arbennig yng ngwarchodfeydd Ynys-las, Ynys-hir a Chors Fochno. Yn ystod yr hydref, gellir gweld sianis blewog tew - epil sawl rhywogaeth o wyfynod - yn croesi'r llwybr er mwyn chwilio am guddfan i chwileru ynddo.

believed extinct in Britain, but which was rediscovered here in 1967. Otters and polecats are known here, and a number of Welsh ponies graze. As well as the other birds of prey seen on or near the coast, hen harriers can be seen. Other than the path along the west bank of the Leri, the reserve is only accessible to the public by special permit, obtainable from the Ynys-las day centre; one should not deviate from the marked paths.

Steelkit. Prior to the establishment of Steelkit at the mouth of the Leri there had been

Rwy'n gwybod o brofiad bod heulwen mis Tachwedd yn gallu denu trilliwiau bach allan o ogof-fôr yng Nghlarach.

Yn yr haf, mae'r warchodfa yn denu entomolegwyr i astudio ei phoblogaethau o weision y neidr a gwyfynod a botanegwyr i astudio planhigion y gors. Un rhywogaeth arbennig o brin yw gwrid y gors y credwyd ei fod wedi diflannu ers tro ym Mhrydain ond a gafodd ei ailddarganfod yn y warchodfa ym 1967. Mae dyfrgwn a ffwlbartiaid wedi'u gweld yma, ac mae nifer o ferlod Cymreig yn pori yma hefyd. Mae bodaod tinwen i'w gweld yma yn ogystal â'r adar ysglyfaethus eraill a welir ar yr arfordir neu gerllaw. Oni bai eu bod yn dilyn y llwybr sy'n rhedeg ar hyd glan orllewinol afon Leri, nid oes modd i'r cyhoedd gael mynediad i'r warchodfa os nad oes ganddynt drwydded arbennig. Gellir cael y drwydded hon o'r ganolfan ddydd yn Ynys-las. Dylid aros ar y llwybr bob amser.

Steelkit. Cyn i Steelkit gael ei sefydlu wrth geg afon Leri, nid oedd unrhyw waith adeiladu cychod wedi digwydd yng

© Richard Hartnup

Gwyfyn bwrned ar degeirian bera
Burnet moth on Pyramid Orchid

no boatbuilding in Ceredigion since 1948, when the lifeboat and fishing boat yard at Aberystwyth closed (it was on the site of the present fire brigade centre). Steelkit builds in kit form a range of sea-going vessels: Dutch barges, catamarans, yachts, fishing, work and passenger boats.

Ynys-las Dunes and the Dyfi Estuary. Ynys-las dunes are part of the Dyfi National Nature Reserve. Neighbouring Cors Fochno has already been described, and just inland at Ynys-hir is a large R.S.P.B. reserve stretching from the banks of the Dyfi up onto the hills above Furnace. Like Ynys-las (but not Cors Fochno) Ynys-hir has a visitors' centre. This

Ngheredigion ers 1948 pan gaeodd iard y bad achub a chychod pysgota yn Aberystwyth (oedd ar safle'r orsaf dân bresennol). Mae Steelkit yn defnyddio citiau i adeiladu nifer o wahanol fathau o gychod: catamaranau a chychod camlas, hwylio, pysgota, gweithio a chychod teithio.

Twyni tywod Ynys-las ac aber afon Dyfi. Mae twyni tywod Ynys-las yn rhan o Warchodfa Natur Genedlaethol Dyfi. Mae Cors Fochno sydd gerllaw wedi'i disgrifio yn barod ac ychydig bellter o'r arfordir yn Ynys-hir, ceir gwarchodfa fawr sy'n eiddo i'r R.S.P.B ac sy'n ymestyn o lannau afon Dyfi i fyny'r bryniau uwchlaw Ffwrnais. Fel Ynys-las (ond nid Cors Fochno), mae gan Ynys-hir ganolfan ymwelwyr. Mae'r ardal hon o ogledd Ceredigion yn hynod o gyfoethog o safbwynt cynefinoedd amrywiol: traethau, twyni tywod, afon aberol, morfa heli, ffen dur croyw, mawnog, coedwigoedd derw, tir pori sydd wedi'i adfer a rhostir. Yn ogystal, ceir ystod briodol o eang o lystyfiant a rhywogaethau anifeiliaid, yn enwedig o safbwynt bywyd môr, pryfed ac adar. Mae'r

area of north Ceredigion is extraordinarily rich in diverse habitants: seashore, dunes, estuarine river, salt-marsh, freshwater fen, peat-bog, oakwoods, reclaimed pasture and moorland, with an appropriately wide range of vegetation and of animal species, especially sea-life, insects and birds. The Visitors' Centres here and Ynys-hir have running lists of all recently-seen bird species for much of the year. Hen harriers visit the reserve at Cors Fochno.

Ynys-las dunes are perhaps no more than 800 years old, like the great dunes elsewhere in Wales at Harlech and Kenfig. The coastal path approaches them from Ynys-las turn; after the Leri had been diverted, the

Gwarchodfa Natur Genedlaethol Dyfi
The Dyfi National Nature Reserve

© Janet Baxter

canolfannau ymwelwyr yn Ynys-las ac Ynys-hir yn cadw rhestrau cyfredol (trwy gydol y flwyddyn bron) o'r holl rywogaethau adar sydd wedi'u gweld yn ddiweddar. Mae bodaod tinwyn yn ymweld â'r warchodfa yng Nghors Fochno.

Hwyrach nad yw twyni tywod Ynys-las yn fwy nag 800 oed, fel twyni tywod mawr eraill Cymru yn Harlech a Chynffig. Mae llwybr yr arfordir yn tywys cerddwyr at y twyni tywod o droad Ynys-las. Ar ôl i afon Leri gael ei dargyfeirio, ehangodd y gefnen hon o gerrig mân yn gyflym i'r gogledd ac mae bellach o fewn 400 metr i aber afon Dyfi. Wrth gerdded ar hyd y traeth gwlyb, gallwch weld arddangosfa o gregyn môr fel rheol, yn enwedig môr-gyllyll, cocos, chwalcod ac wystrys. Mae cyfran helaeth o'r twyni tywod wedi ei gorchuddio â moresg ond gall y twyni gael eu difrodi'n hawdd wrth i wyntoedd chwythu'r tywod ymaith. Mae llystyfiant arall yn tyfu yn y bylchau rhwng y twyni, yn enwedig ar yr ochr ddwyreiniol lle mae sawl math o degeirian yn tyfu o ddechrau hyd at ganol yr haf. Yn fwyaf arbennig, gwelir tegeirian-y-gors cynnar a chaldrist y gors (gyda

pebble bank here extended rapidly northwards and now reaches to within 400 metres of the Dyfi estuary. Walking the wet sands usually reveals a display of seashells, especially razor shells, cockles, whelks and oysters. Much of the dune area is covered with marram grass, though the dunes can be easily damaged, with subsequent blow-outs. Other vegetation appears in the slacks between the dunes, especially on the eastern side, where there are numerous orchids in early to mid-summer, especially early marsh and marsh helleborines, with hybrids, as well as pyramidal and bee orchids. Other flowers include bird's foot trefoil, restharrow and poisonous yellow ragwort, sometimes festooned with lurid

Tegeirian rhuddgoch
Marsh Orchid

© Janet Baxter

Mae Tegeiriannau yn rhan o gymuned gyfoethog planhigion y twyni
Orchids are part of the rich plant community in the dune slacks

hybridau ohonynt) yn ogystal â thegeirian bera a thegeirian y wenynen. Mae'r blodau eraill sydd i'w gweld yn cynnwys pys ceirw, tagaradr a'r greulys felen wenwynig ac weithiau, caiff y rhain eu haddurno gan lindys llachar teigr y benfelen, llysiau'r afu petalaidd, rhawn yr ebol ac amrywiaeth o ffyngau. Ceir digonedd o gwningod sy'n ysglyfaeth i garlymod a ffwlbartiaid, ac mae'r ehedydd i'w glywed yn canu'n aml yma hefyd.

I'r gogledd o'r twyni tywod eu hunain, mae'r traethau llanw yn ymestyn hyd at afon Dyfi ac mae nifer o draethellau llanw i'w gweld i'r gogledd-orllewin pan fo'r llanw'n isel. Golyga hyn fod yr aber yn gallu bod yn lle peryglus. Gyferbyn mae tref ddeniadol Aberdyfi yr oedd llongau fferi yn arfer teithio iddi, ond mae'r tripiau hyn wedi dod i ben erbyn hyn. Dyma oedd safle arfaethedig pont a fyddai'n cario'r rheilffordd o Aberystwyth i Aberdyfi ac ymhellach i'r gogledd, ond methodd y syrfewyr ddod o hyd i arwyneb i adeiladu sylfeini'r bont arno. Ar ochr ddwyreiniol y pentir bach, caiff ardal ei chau i ffwrdd gan ffens fel rheol yn ystod y tymor bridio

cinnabar moth caterpillars, petalwort, stonewort and a variety of fungi. There are plenty of rabbits, with stoats and polecats to feed on them, and skylarks can be frequently heard singing.

North of the dunes themselves the tidal sands reach the Dyfi, and to the north-west numerous tidal sandbanks are visible at low tide, making the estuary a potentially dangerous place. Opposite is the attractive town of Aberdyfi, to which ferries once ran, but no longer. This was the intended site for a bridge to carry the railway from Aberystwyth over to Aberdyfi and thence northwards, but the surveyors were unable to find bottom on which to put the foundations. On the eastern side of the little headland an area is usually fenced off in the breeding season for ringed plovers to nest. The dunes, like Cors Fochno and the estuary described below, are part of the Dyfi National Nature Reserve, which is a designated UNESCO international Biosphere reserve.

Ynys-las and the Dyfi estuary are

© Janet Baxter

Cwtiad torchog a Pibyddion y mawn
Ringed plover and Dunlin

er mwyn galluogi cwtiaid torchog i nythu. Mae'r twyni tywod, yr un fath â Chors Fochno a'r aber a ddisgrifir isod, yn rhan o Warchodfa Natur Genedlaethol Dyfi sy'n warchodfa biosffêr ryngwladol a ddynodwyd gan UNESCO.

Mae Ynys-las ac aber afon Dyfi'n enwog am eu hadar. Mae adar hirgoes (pibydd yr aber, y cwtiad llwyd, pibydd y tywod, y pibydd coeswyrdd, y pibydd coesgoch, y coegylfinir ac eraill) yn ymweld â'r ardal yn rheolaidd. Mae cwtiaid torchog yn nythu yn Ynys-las, ac mae crehyrod bach wedi cyrraedd yr ardal wrth iddynt ledaenu eu tiriogaeth yn ddramatig o gwmpas arfordir

well-known for their bird life. Waders (knot, grey plover, sanderling, greenshank, redshank, whimbrel and others) are frequent visitors. Ringed plovers nest at Ynys-las; little egrets have reached here in their dramatic spread around the Welsh coast. The Dyfi estuary is a well-known site for wintering wildfowl, including wigeon, teal, pintail, shoveler, pochard, scaup, goldeneye, merganser, long-tailed and tufted ducks, Greenland whitefronted geese, occasional greylag, barnacle and brent geese and frequent Canada geese. Shelduck breed on both the Dyfi and the Teifi

Cymru. Mae aber afon Dyfi'n safle nodedig ar gyfer adar dur sy'n mynd yno i fwrw'r gaeaf, gan gynnwys chwiwellod, corhwyaid, hwyaid llydanbig, hwyaid pengoch, hwyaid penddu, hwyaid llygad-aur, hwyadwyddau, hwyaid cynffon-hir, hwyaid copog, ambell ŵydd wyllt, gwyddau gwyran, gwyddau duon a nifer o wyddau Canada. Mae hwyaid yr eithin yn bridio yn aber y Dyfi a'r Teifi, ac mae aber afon Teifi hefyd yn gartref i nifer o adar hirgoes ac adar dŵr sy'n mynd yno i fwrw'r gaeaf.

estuary; the latter is also home to a number of waders and wintering wildfowl.

At low tide, look eastwards up the estuary across Traeth Maelgwn (*traeth* = shore); this huge swathe of sand was said to be the site of a contest for the kingship of Gwynedd (north-west Wales), when to avoid conflict the contenders placed their thrones on the water's edge at low tide. The winner would be the

Trwyn Dyfi, Ynys-las
The Dyfi spit, Ynys-las

© Jeremy Moore

© Janet Baxter

Twyni tywod, Ynys-las
Sand Dunes, Ynys-las

Yn ystod llanw isel, edrychwch i'r dwyrain i fyny'r aber ar draws Traeth Maelgwn - dywedwyd mai'r ardal fawr hon o dywod oedd safle cystadleuaeth dros frenhiniaeth Gwynedd (gogledd-orllewin Cymru). Er mwyn osgoi gwrthdaro, mae'n debyg bod yr ymgeiswyr wedi gosod eu gorseddau wrth ymyl y dur yn ystod llanw isel, a'r buddugwr fyddai'r un a oedd yn llwyddo i gadw ei orsedd er gwaetha'r llanw. Roedd gan Maelgwn orsedd wedi'i gwneud o adenydd adar a oedd yn arnofio oddi tano, ac felly Maelgwn hawliodd deyrnas Gwynedd. Mae'n debyg mai darn o bropaganda o'r drydedd ganrif ar ddeg yw'r stori

one who kept his throne despite the incoming tide. Maelgwn had a throne made of birds' wings which floated under him, and thus he claimed the kingship. The tale is probably a piece of 13th century propaganda to

Cwtiaid aur, Ynys-las
Golden plover at Ynys-las

© Janet Baxter

hon a luniwyd i bwysleisio pwysigrwydd Gwynedd yng ngwleidyddiaeth Cymru. Mae traeth Maelgwn yn uno â morfa heli a thir pori sydd wedi'i foddi ac sy'n gallu bod yn hynod o beryglus i'w archwilio - mae rhai o'r sianeli bach yn ddau fetr o ddyfnder. Mae'r ardal hon yr holl ffordd i fyny i'r bont reilffordd yng Nghyffordd Dyfi yn boblogaidd iawn ag adar dŵr.

emphasise the importance of Gwynedd in Welsh politics. Maelgwn's sands merge into salt-water marsh and flooded grazing land which can be extremely dangerous to explore; some of the little channels are two metres deep. The area is much favoured by wildfowl all the way up to the railway bridge at Dyfi Junction.

Hegydd Arforfor
Sea Rocket

Clogwyni Gwmtydu
Cliffs at Cwmtydu

Daeareg Ceredigion
Ceredigion's Geology

Mae dechreuadau arfordir Ceredigion yn hynafol ac yn ddiddorol iawn. Mae'r testun canlynol wedi'i symleiddio'n sylweddol, ac nid yw pob daearegwr yn cytuno ar bob pwynt. Rhaid i ni ddychmygu cyfandir hynafol y mae

The origins of the Ceredigion coast are ancient and fascinating; what follows is much simplified, and not all geologists agree on all points. One must imagine an ancient continent, called by geologists Avalonia. This was in the earth's southern

Penrhyn Lochtyn, man cyfarfod creigiau Ordofigaidd a chreigiau Silwraidd yr arfordir
The Lochtyn peninsula where the Ordovician and Silurian rocks of the coast meet

© Jeremy Moore

daearegwyr yn ei alw'n Avalonia. Roedd y cyfandir hwn wedi'i leoli yn hemisffer y de bron i 500 miliwn o flynyddoedd yn ôl, ar adeg pan nad oedd arwyneb y ddaear yn arddangos unrhyw rai o'i batrymau cyfarwydd presennol – er ei fod wedi'i orchuddio â chyfandiroedd a chefnforoedd wrth gwrs. Ar arfordir gogledd-orllewinol y cyfandir coll hwn roedd ysgafell gyfandirol a oedd yn plymio i lawr i wely'r môr. Byddai afonydd y cyfandir yn dyddodi llawer o rwbel wedi'i erydu (llaid a graean yn bennaf) ar yr ysgafell hon. Pan fyddai'r môr yn cael ei ysgwyd gan ddaeargryn neu gorwynt, byddai llwythi o'r deunydd hwn yn llifo i lawr y llethr serth ac yn ymestyn ar draws gwely'r môr fel llif mwdlyd – yn debyg iawn i gwymp eira. Po fwyaf yr aflonyddwch a pho fwyaf y llwythi o waddodion, y mwyaf pwerus fyddai'r llif tanddwr a'r mwyaf trwchus fyddai'r haenau. Byddai gronynnau trymach yn cael eu dyddodi'n gynnar yn y broses tra byddai'r gronynnau mwyaf mân yn parhau i ledaenu tua'r gogledd.

Rhwng y digwyddiadau hyn, byddai llif cyson o laid mân ac, o bryd i'w gilydd, taeniad o silt mân

hemisphere at a time, nearly 500 million years ago, when the earth's surface, though of course made up of continents and oceans, had none of its present familiar patterns. Off the north-west coast of this lost continent was a continental shelf, which plunged downwards to the ocean bed. On this shelf the continent's rivers would deposit quantities of eroded debris, mostly mud and grit. When the sea was shaken by an earthquake or hurricane, piles of this material would pour down the steep slope and spread out across the ocean bed as a turbid flow, very like an avalanche. The greater the disturbance and the greater the waiting deposits, the more powerful the undersea flow and the thicker the spread. Heavier grains would be deposited early in the process, while the finest continued to spread northwards.

Between these events there would be a steady trickle of fine mud, and occasionally a spread of fine silt or volcanic dust descending from the ocean surface, both forming thinner layers between thicker layers of mud. Under the growing weight the layers solidified into gritstone,

neu lwch folcanig yn dod i lawr o arwyneb y môr gan ffurfio haenau teneuach rhwng yr haenau mwy trwchus o laid. Dan bwysau cynyddol y deunyddiau hyn, caledodd yr haenau gan ffurfio carreg rud, tywodfaen a charreg laid. Roedd y prosesau hyn wedi parhau am filiynau o flynyddoedd dros yr ardal a elwir bellach yn Geredigion, wrth i'r platiau symud tua'r gogledd.

Nid yw'r haenau y gwelwn heddiw'r un oed ym mhob man. Mae'r haenau i'r de o Langrannog yn hwn (Ordofigaidd) tra bod yr haenau i'r gogledd ychydig yn iau (Silwraidd). Grutiau Aberystwyth yw'r enw a roddir ar yr haenau hyn o Gwmtudu i Graig-y-delyn i'r gogledd o Glarach, ond mae'r cerrig llaid o Graig-y-delyn i'r Borth yn fwy hynafol. Mae'r hyn sy'n nodweddu creigiau Ceredigion yn cynnwys gwythiennau o gwarts gwyn, ffosilau bach graptolitau sydd wedi diflannu, a thraciau a thyllau a grëwyd gan fwydon hynafol sydd wedi'u cadw yn y gwaddodion.

sandstone and mudstone. Over the area which is now Ceredigion, these processes continued for millions of years, while the plates shifted northwards.

The layers we see today are not everywhere of the same age. The layers south of Llangrannog are older (Ordovician), while to the north they are somewhat younger (Silurian). From Cwmtydu to Craig-y-delyn, north of Clarach, they are known as the Aberystwyth Grits, but from Craig-y-delyn north of Clarach to Borth the mudstones are more ancient. Among the features typical of Ceredigion rocks are veins of white quartz, tiny fossils of extinct graptolites, and the tracks and burrows of ancient worms left in the sediments.

Following the deposition of the Silurian rocks, at about 400 million years ago, the continental mass of Avalonia collided with that of the present day North America (called Laurentia), as the ocean between them narrowed and vanished. All the continents

© Janet Baxter

Haenau cam Cwmtydu
Folded strata at Cwmtydu

Ar ôl i'r cerrig Silwraidd gael eu dyddodi rhyw 400 miliwn o flynyddoedd yn ôl tarodd cyfandir Avalonia yn erbyn cyfandir presennol Gogledd America (a elwid yn Laurentia) wrth i'r môr rhyngddynt gulhau a diflannu. Ymhen amser, roedd y cyfandiroedd i gyd yn rhan o gyfandir enfawr a elwid yn Gondwana. Drifftiodd y cyfandir hwn i'r gogledd ac felly, symudodd y rhan Ewropeaidd drwy'r trofannau i hemisffer y gogledd. Wedi hynny, tua 60 miliwn o flynyddoedd yn ôl, dechreuodd cefnfor presennol

eventually formed the super-continent of Gondwanaland. This drifted north, so that the European part moved through the tropics and into the northern hemisphere. Subsequently, about 60 million years ago, the present day North Atlantic ocean started to form as the Gondwanaland broke up.

The compression resulted in the hardened layers of rock (strata) being bent and twisted (folding) and cracking (faulting). During ancient times the

Gogledd yr Iwerydd gael ei ffurfio wrth i Gondwana ymrannu.

Roedd y broses gywasgu wedi peri i'r haenau caled o gerrig (strata) blygu, twistio a chracio. Ymhell yn y gorffennol, cafodd y platiau tectonig y caiff y cyfandiroedd eu cludo arnynt eu hailffurfio i'r fath raddau hyd nes iddynt ehangu i'r gogledd o gyfandir enfawr hynafol Gondwana, a throdd rhai rhannau o wely'r môr yn gyfandir gan godi o'r môr ar adegau cyn cael eu hailfoddi ar adegau eraill. Roedd symudiadau'r platiau a phwysau eraill wedi achosi i'r haenau caled o gerrig dwistio, plygu a chracio.

Yn ystod yr 800,000 o flynyddoedd diwethaf, mae'r cyfandir sydd bellach yn cael ei alw'n Ewrop wedi parhau i fod uwchlaw lefel y môr, ond cafodd ardaloedd gogleddol y cyfandir eu heffeithio'n fawr gan gyfnodau hir o dymheredd a oedd mor isel hyd nes bod yr ardaloedd hynny wedi'u claddu'n ddwfn mewn iâ. Roedd lefel cefnforoedd y byd wedi gostwng am gyfnodau hir o ganlyniad i'r llwythi enfawr hyn o iâ a ffurfiwyd.

tectonic plates on which the continents ride were re-formed so drastically that not only did they spread out northwards from the ancient super-continent of Gondwanaland, but parts of what had been ocean bed became continent, sometimes emerging from the ocean, sometimes resubmerging. The shifting of plates and other pressures caused the hardened strata of rock to twist, bend and crack (fault).

During the past 800,000 years the continent we now know as Europe remained above sea level, but its northern areas were severely affected by long periods of such low temperatures that they were deeply buried in ice. Formation of such quantities of ice lowered the level of the world's oceans for long periods.

The ice was not static, but constantly in flow, eroding the rocks beneath by its weight and by the flow of meltwater, the result of friction. The ice carried huge quantities of this eroded stuff, from dust to massive boulders. One ice sheet covered what is now the Irish Sea, another covered the Welsh

Nid oedd yr iâ hwn yn llonydd - roedd yn llifo o hyd gan erydu'r creigiau oddi tano trwy ei bwysau a'r llif o ddur tawdd a oedd yn cael ei greu gan ffrithiant. Roedd yr iâ yn cludo llwythi enfawr o'r deunydd hwn oedd wedi'i erydu a oedd yn amrywio o lwch i feini enfawr. Roedd un haen o iâ yn gorchuddio'r hyn a elwir bellach yn Fôr Iwerddon, ac roedd haen arall yn gorchuddio tir mawr Cymru. Wrth i'r iâ doddi am y tro olaf ar ôl oddeutu 12,000 C.C, cafodd y deunydd hwn i gyd (rhewglai) ei ddyddodi ar y creigiau islaw. Roedd y clai a ddyddodwyd ym Môr Iwerddon

mainland As the ice melted for the last time after about 12,000 B.C., all this material (glacial till or 'boulder clay') was deposited on the rocks beneath. The Irish Sea clay was yellowy, the Welsh mainland clay a grey-blue colour. On occasion the ice would stop retreating, and instead of leaving a layer of material, huge heaps and banks would be left (moraines, the most visible of which is at Wallog, north of Clarach). Gradually, as the great ice-sheets melted, sea levels rose.

Clogwyni Clai, Mynachdy'r Graig
Clay cliffs at Mynachdy'r Graig

yn felyn, ac roedd y clai a ddyddodwyd yng Nghymru'n llwyd-las. Weithiau, byddai'r iâ yn rhoi'r gorau i encilio ac yn lle gadael haen o ddeunydd ar ei ôl, byddai'n gadael pentyrrau a chefnennau enfawr (marianau - mae'r amlycaf o'u plith i'w weld yn y Wallog i'r gogledd o Glarach). Dechreuodd lefel y môr godi'n raddol wrth i'r haenau iâ enfawr doddi.

Ceir tystiolaeth o'r prosesau hyn i gyd yng nghlogwyni a thraethau Ceredigion lle mae tri ffenomenon i'w gweld yn glir. Y

All this can be traced in the cliffs and shores of Ceredigion, where three phenomena are easily visible. The first is the layers of rock, some thick, some thin, with much thinner layers of darker material between them, which form the cliffs and underlie the glacial material. The faults and distortions in the strata can be quite spectacular (north of Cwmtydu, south of New Quay, at Craiglais (Aberystwyth) and north from Clarach). Secondly, the rocks are overlaid in places by

Creigiau'r traeth a choglwyn clai, Clarach
Seaworn rocks and clay cliff, Clarach

© Janet Baxter

© Janet Baxter

Sarn Cynfelyn, cynnyrch Oes y Rhew
Sarn Cynfelyn: a glacial landmark

ffenomenon cyntaf yw'r haenau o gerrig - rhai ohonynt yn drwchus, rhai ohonynt yn denau gyda haenau llawer teneuach o ddeunydd tywyllach rhyngddynt - sy'n ffurfio'r clogwyni ac sy'n gorwedd o dan y deunydd rhewlifol. Mae'r craciau a'r gwyriadau yn yr haenau yn gallu bod yn eithaf trawiadol (i'r gogledd o Gwmtudu, i'r de o Gei Newydd, yng Nghraig-las (Aberystwyth) ac i'r gogledd o Glarach). Yn ail, mae haenau mor drwchus o glog-glai yn gorchuddio'r creigiau mewn rhai

such thick layers of till that these latter form cliffs of clayey earth, full of stones already partly smoothed by ice and meltwater. Good examples can be seen at Gilfach-yr-halen, Aber-arth, Llansanffraid and Mynachdy'r Graig. Between New Quay and Cei Bach the solid rocks are completely covered by the glacial deposits, and can only be traced a kilometre inland from the shore. These deposits are of varying height and colour. Some are eroding quite quickly, while

mannau hyd nes bod y clog-glai hwn yn ffurfio clogwyni o bridd cleiog sy'n llawn cerrig sydd eisoes wedi'u llyfnhau'n rhannol gan iâ a dŵr tawdd. Mae enghreifftiau da i'w gweld yng Ngilfachyrhalen, Aber-arth, Llansanffraid a Mynachdy'r Graig. Rhwng Cei Newydd a Chei Bach, caiff y creigiau solet eu gorchuddio'n gyfan gwbl gan y dyddodion rhewlifol ac mae'n rhaid teithio cilomedr o'r arfordir er mwyn gweld unrhyw olion o'r creigiau solet. Mae'r dyddodion rhewlifol hyn yn amrywio o ran eu huchder a'u lliw. Caiff rhai eu herydu'n eithaf cyflym tra bod eraill yn fwy sefydlog am eu bod yn cael eu hamddiffyn gan draethau o gerrig mân. Yn drydydd, roedd y dŵr tawdd a oedd yn llifo dan yr haenau iâ wedi creu dyffrynnoedd (sydd heb nentydd ynddynt bellach), a gellir eu hadnabod fel sianeli draenio.

Cafodd y tywod a'r cerrig a geir ar draethau Ceredigion eu dyddodi'n bennaf gan yr haenau iâ a'r rhewlifoedd, ond mae afonydd a nentydd y sir yn cyfrannu at y broses hefyd. Mae mwyafrif llethol y cerrig mân yn lleol ond yn eu plith (yn

others are more stable thanks to the protection of shingle beaches. Thirdly, the meltwater which flowed under the ice-sheets scoured out valleys which are now streamless, and can thus be identified as drainage channels.

The sand and stones which form the beaches of Ceredigion are largely the product of deposition from the ice-sheets and glaciers, though the county's rivers and streams also make a contribution. The vast majority of the pebbles are of local origin, but among them can be found, especially at certain beaches, rocks from north Wales, from the bed of the Irish Sea and even from Scotland; there is a valuable display in the Ceredigion Museum at Aberystwyth. The most spectacular pebble formation is at Sarn Cynfelyn at Wallog, which is a moraine so huge that thousands of years of tides and storms have been unable to disperse it; rather, the process of longshore drift carries pebbles northwards, tending to build up the bank.

enwedig ar draethau penodol), gellir dod o hyd i gerrig o ogledd Cymru, gwely Môr Iwerddon a hyd yn yr oed yr Alban. Mae arddangosfa werthfawr yn Amgueddfa Ceredigion yn Aberystwyth. Mae'r ffurfiant mwyaf trawiadol o gerrig mân i'w weld yn Sarn Gynfelyn yn y Wallog, lle ceir marian enfawr. Yn wir, mor fawr yw'r marian hwn hyd nes bod miloedd o flynyddoedd o lanw a thrai a stormydd wedi methu ei wasgaru; yn hytrach, mae prosesau drifft y glannau yn cario cerrig mân tua'r gogledd sy'n tueddu i ychwanegu at y gefnen.

Roedd bodolaeth Sarn Gynfelyn, Sarn Padrig ym Meirionnydd (sy'n debyg iawn) a'r goedwig sydd wedi'i boddi yn y Borth wedi esgor ar chwedl Cantre'r Gwaelod a adroddir isod. Gellir cyfiawnhau'r chwedl drwy ddweud bod ymyl y môr hyd at bymtheg milltir yn bellach i ffwrdd bedair mil o flynyddoedd yn ôl nag y mae ar hyn o bryd. Ar y llaw arall, yn ystod cyfnod llawer cynharach – cyn Oesoedd Iâ'r 300,000 o flynyddoedd diwethaf, roedd y môr yn ddigon agos i'r tir i'w

Cloglai a Siâl Silfrian yng Ngilfach yr Halen
Boulder Clay and Silurian shales at Gilfach yr Halen

The existence of Sarn Cynfelyn, the similar Sarn Padrig in Meirionnydd, and the submerged forest at Borth, gave rise to the legend of Cantre'r Gwaelod narrated below. The legend has this justification, that four thousand years ago the sea's edge was

alluogi i ffurfio clogwyni nad ydynt yn cael eu cyffwrdd ganddo o gwbl bellach. Mae'r clogwyni ffosil hyn (nad ydynt yn cynnwys llawer o ffosilau mewn gwirionedd) i'w gweld yn hawdd rhwng Llan-non a Llanrhystud lle maent yn codi i'r dwyrain o'r A487.

Mae'r môr yn parhau i lunio ac ail-lunio arfordir Ceredigion. Mae prosesau drifft y glannau (llif y llanw tua'r gogledd o gwmpas Bae Ceredigion) yn tueddu i greu bariau sy'n rhwystro'r mynedfeydd i afonydd ac ymestyn y tafodau o gerrig mân sydd i'w gweld yn y rhan fwyaf o aberoedd. Ymddengys bod y traeth tywod gorau, sef traeth Ynys-las a grëwyd yn ddiweddar iawn, yn ehangu i'r gogledd, a gallai hyd yn oed droi'n dir sych rywbryd yn y dyfodol. Yn wir, gellir gweld twyn tywod newydd yn datblygu ychydig i'r dwyrain o'r fan hon. Ar yr un pryd, fel y nodwyd uchod, mae rhai rhannau o'r clogwyni clai yn erydu. Yr amser gorau i ymweld â nifer o'r safleoedd hyn yw yn ystod llanw isel, ond dylech gymryd gofal wrth wirio amserlenni'r llanw oherwydd gallwch gael eich ynysu gan y

anything up to fifteen miles further out than it is now. On the other hand, at a much earlier period, before the Ice Ages of the past 300,000 years, the sea was close enough to the land-mass to form cliffs which are now no longer touched by the sea. These 'fossil cliffs' (not that they contain much in the way of fossils) can be easily identified between Llan-non and Llanrhystud, where they rise east of the A487.

The sea continues to shape and re-shape the Ceredigion coastline. Longshore drift (the northward flow of the tide round Cardigan Bay) tends to build up bars to river entrances, and to extend the pebble spits which exist at most estuaries. The finest sand-beach, at Ynys-las, which is of very recent origin, appears to be extending northwards, and may even form dry land at some future date. Indeed, a new sand dune can be seen developing just east of the point. At the same time, as mentioned above, some parts of the clay cliffs are eroding. Many of these sites can be visited best at low tide, but great care should be taken in checking tide-tables,

© Janet Baxter

Haenau creigiau'r traeth ger Clarach
Curving rock strata, Clarach

Y fforest hynafol, Borth
The ancient forest, Borth

© Janet Baxter

llanw mewn nifer o fannau ac mae'r rhan fwyaf o glogwyni Ceredigion yn beryglus i'w dringo. Mae'n well ymweld â safleoedd eraill mewn cwch ond unwaith eto, dylech gymryd gofal a dylid defnyddio gwybodaeth leol er mwyn osgoi damweiniau.

since there are many places where it is possible to be cut off, and most Ceredigion cliffs are dangerous to climb. Other sites are best visited by boat, but again care should be taken and local knowledge used to avoid wreck.

Ysgrifennwyd gyda chymorth
Dennis Bates

Written with the help of
Dennis Bates

Ynys Lochtyn
Ynys Lochtyn

© Janet Baxter

Traddodiad Morwrol Ceredigion
Maritime Ceredigion

Hwyrach bod cychod a llongau yn cael eu hadeiladu yn Aberteifi cyn diwedd yr Oesoedd Canol, ond nid ydym yn gwybod dim am unrhyw longau a adeiladwyd yno cyn y ddeunawfed ganrif. Roedd cynnydd ar droed yn y diwydiant llongau cyn 1800, ac roedd hyn wedi peri i'r llif a'r morthwyl seinio nid yn unig ym mhorthladdoedd Aberteifi, Cei Newydd ac Aberystwyth ond o draeth i draeth ar hyd yr arfordir i gyd. Roedd llongau a oedd yn dadleoli ugain tunnell o ddur yn cael eu cofrestru yn Aberteifi neu Aberystwyth, ac fe'u disgrifir yn fanwl yn y cofrestrau.

Roedd mwyafrif llethol y llongau a adeiladwyd yn slups a chychod pysgota ag un mast (a oedd yn cael eu defnyddio at ddibenion pysgota a masnachu o gwmpas arfordir Cymru) neu'n sgwneri dau fast â hwyliau yn eu hyd a oedd yn fwy effeithlon na'r brigiau a'r brigantinau â rigin sgwâr a ffafriwyd am gyfnod ar ôl

Boats and ships may well have been built at Cardigan before the end of the Middle Ages, but we know nothing about them until the 18th century. Before 1800 an increase in shipping was afoot which brought the sound of saw and hammer not only to the harbours at Cardigan, New Quay and Aberystwyth, but all along the coast from beach to beach. Vessels of twenty tons' displacement were registered either at Cardigan or Aberystwyth, and are described in details in the registers.

The vast majority were either single-masted sloops and smacks for fishing and the coasting trade round the Welsh coast, or twin-masted schooners with fore-and-aft rigging, which was more efficient than the square-rigged brigs and brigantines that had been favoured for a while after 1800. Ships were owned, by law, by

Cychod pysgota ('nobbies'), Cei Newydd, tua 1890
New Quay fishing boats ('nobbies') c. 1890

1800. Roedd y gyfraith yn mynnu y dylai llongau gael eu rhannu'n 64 o gyfranddaliadau. Roedd rhai llongau yn eiddo i un dyn – naill ai perchennog llongau cyfoethog fel Thomas Jones yr Ieuengaf o Aberystwyth (bu farw ym 1880) neu, yn achos llongau bach, eu meistri. Rhannwyd y rhan fwyaf o gyfranddaliadau fesul pedwar (fe'u gelwid yn ownsys am fod 4 x 16 = 64). Byddai'r meistr yn berchen ar gyfran bob amser; hwyrach y byddai'r adeiladwr ei hun yn cymryd cyfran yn rhan o'r taliad am adeiladu'r llong; byddai

division into 64 shares. A few vessels were wholly owned by one man, either a wealthy shipowner like Thomas Jones the Younger of Aberystwyth (d.1880) or in the case of small vessels, by their masters. Most shareholdings were divided by fours (known as ounces because 4 x 16 = 64). The master would always have a share; the shipbuilder himself might well take a share in lieu of part of the payment; the rest were divided among investors, who usually included local farmers,

gweddill y cyfranddaliadau'n cael eu rhannu rhwng buddsoddwyr a oedd yn cynnwys ffermwyr, perchnogion siopau a gweddwon lleol fel rheol. Un o'r buddsoddwyr fyddai rheolwr y llong hefyd.

Byddai llongau a oedd yn rhan o'r fasnach arfordirol yn hwylio o borthladd i borthladd wrth iddynt gael cynnig cargo, a byddai'r meistr yn cadw cyfrif o'r holl wariant ac enillion. Ar ddiwedd un neu ddau o dymhorau hwylio, byddai'r llong yn dychwelyd adref a byddai'r elw'n cael ei rannu rhwng y cyfranddalwyr. Erbyn canol y bedwaredd ganrif ar

shopkeepers and widows. One investor would be the vessel's manager.

Ships in the coasting trade would sail from port to port as cargoes offered, the master keeping accounts of all expenditure and earnings. At the end of one or two sailing seasons he would return and the profits would be divided between the shareholders. By the mid-19th century it was common to insure vessels against loss, either in London or with the local companies at Aberystwyth, New Quay and Cardigan.

Llongddrylliad 'Bronwen' ger Cei Newydd, 21 Hydref 1891, ar ei mordaith gyntaf

'Bronwen', wrecked at New Quay 21 October 1891 on her maiden voyage

bymtheg, roedd yn gyffredin yswirio llongau rhag colled yn Llundain neu drwy ddefnyddio cwmnïau lleol yn Aberystwyth, Cei Newydd ac Aberteifi.

Erbyn canol y ganrif, roedd iardiau llongau Cymru'n wynebu cystadleuaeth o Ganada lle'r oedd pren yn rhad. Byddai llongau'n cael eu hadeiladu yn Nova Scotia cyn cael eu hwylio ar draws y môr at eu perchnogion yng Nghymru. Fodd bynnag, roedd gan y llongau hyn enw drwg am ddirywio'n gyflym gan nad oedd eu hasennau wedi'u gwneud o'r derw sych a oedd ar gael yng Nghymru. Pren oedd un o'r prif nwyddau a oedd yn cael ei fewnforio i borthladdoedd Cymru ac o bryd i'w gilydd, byddai llongau'n cludo ymfudwyr yn uniongyrchol o Aberteifi, Cei Newydd, Aberaeron ac Aberystwyth i Ganada a'r Unol Daleithiau. Weithiau, byddai meistri'r llongau'n priodi merched o America, a byddai eu gwragedd yn dod nôl gyda nhw i Gymru.

Roedd llawer mwy o longau na'r saith cant neu ragor a adeiladwyd ar hyd yr arfordir wedi'u cofrestru yn Aberystwyth ac Aberteifi. Roedd llongau a

By mid-century Welsh shipyards faced competition from Canada, where timber was cheap; ships would be built in Nova Scotia and sailed across for Welsh owners, but these vessels had a name for deteriorating quickly; their ribs were not of the seasoned oak available in Wales. Timber was a major import to the Welsh ports, and from time to time ships would take immigrants directly from Cardigan, New Quay, Aberaeron and Aberystwyth to Canada and the U.S.A. Ships' master occasionally married American wives and brought them back to Wales.

Both Aberystwyth and Cardigan registered far more ships than the seven hundred or more built along the coast. Vessels built elsewhere were bought and owned in the county, even though they might never visit the locality. Some were commissioned in the shipyards of Nova Scotia, using local softwoods or imported timber from the same source; this was the cheap way, but these ships tended to 'soften' with hard wear in deepwater voyaging to the guano islands of Chile, to Africa, Burma and Australia. Even the

adeiladwyd mewn mannau eraill yn cael eu prynu gan bobl yn y sir ond efallai na fyddai'r llongau hynny byth yn ymweld â'r ardal. Cafodd rhai llongau eu comisiynu yn iardiau llongau Nova Scotia, ac fe'u hadeiladwyd gan ddefnyddio pren meddal lleol neu bren wedi'i fewnforio o'r un ffynhonnell. Dyma'r ffordd rataf o adeiladu llong, ond roedd y llongau hyn yn tueddu i 'feddalu' wrth iddynt gael eu treulio yn ystod eu teithiau drwy ddyfroedd dyfnion i ynysoedd gwano Chile, Affrica, Byrma ac

oak-built vessels which avoided disaster could not last for ever; the sea is a cruel environment.

Some took to the sea aged 10 as cabin boy apprentices, bound to stay with the master from port to port. A skipper might take his wife on voyage until the birth of their first child, which occasionally happened at sea, hence names like John Seaborne Jones in parish registers. Unlike masters and apprentices, seamen frequently

Aberteifi tua 1890: amrywiol longau un- a dau-hwylbren
Cardigan c. 1890: assorted one- and two-masted vessels

Awstralia. Nid oedd hyd yn oed y llongau derw hynny a lwyddai i osgoi trychineb yn gallu para am byth am fod y môr yn amgylchedd creulon.

Roedd rhai bechgyn mor ifanc â 10 oed yn mynd i'r môr i fwrw'u prentisiaeth fel gweision caban, ac roedd yn rhaid i'r bechgyn hyn fynd gyda'u meistr o borthladd i borthladd. Efallai y byddai gwraig y capten yn teithio gydag ef hyd nes iddi roi genedigaeth i'w plentyn cyntaf ac weithiau, byddai plant yn cael eu geni ar y môr – sy'n egluro pam fod enwau megis John Seaborne Jones i'w gweld mewn cofrestrau plwyf. Yn wahanol i feistri llongau a phrentisiaid, byddai morwyr yn aml yn newid llongau mewn gwahanol borthladdoedd. Gallai taith – boed yn daith o gwmpas Prydain ac Iwerddon neu'n daith i ddur dwfn – bara am ddwy flynedd neu ragor. Roedd yr amodau gwaith a byw yn ofnadwy o anghyfforddus, ac roedd y risgiau'n hollbresennol. Byddai dynion yn cael eu lladd mewn llongddrylliadau, ond byddent hefyd yn cael eu golchi dros fwrdd y llong, yn cwympo i'r dec neu'r môr o'r mastiau neu'n dal heintiau yn Ne America. Roedd pob cymuned yn gyfarwydd

Traeth y Llongau, Aber-porth. Sylwch ar y ceffylau a gariai galchfeini a thanwydd i'r odynnau

Traeth y Llongau, Aber-porth. Note the horses used to carry limestone and fuel to the limekilns

changed ships at different ports. A voyage, whether coasting round Britain and Ireland or going deepwater, might last two years or longer. The work and living conditions were horribly uncomfortable, the risks everpresent. Not only did men die in shipwrecks, they were washed overboard, fell to the deck or sea from the masts, or took fever in South America. Every community knew bereavement; widows would depend for immediate help on their dead husband's Friendly Society, and remarriage would often follow. Llansanffraid

â galar. Byddai gweddwon yn dibynnu ar y Gymdeithas Fudd yr oedd eu gwŷr yn aelodau ohoni am gymorth uniongyrchol ac yn aml, byddent yn ailbriodi. Mynwent Llansanffraid, a ddisgrifir uchod, sy'n dwyn y dystiolaeth fwyaf huawdl o'r colledion hyn yng Ngheredigion.

Heddiw, mae amgylchedd morol Ceredigion yn wahanol iawn – ychydig o gychod pysgota sydd i'w gweld ond ceir llu o longau hwylio, criwserau a dingis. Caiff llongau eu hadeiladu yn safle Steelkit yn aber afon Dyfi (fel y disgrifir uchod), a bydd llongau'n cael eu hadeiladu mewn iard gychod newydd yng Ngwbert ar lan y Teifi hefyd. Mae badau achub pwerus a'u gwirfoddolwyr parod yn golygu bod achub pobl o'r môr yn dasg llawer haws nag yr oedd hi. Serch hynny, mae'r môr yn amgylchedd garw – mae'r tywydd yn gyfnewidiol; mae'r llifoedd yn gallu bod yn dwyllodrus; mae'r bariau tywod yn yr harbwrs yn gallu bod yn beryglus; ac mae'r creigiau mor greulon ag erioed.

graveyard, described above, is Ceredigion's most eloquent witness to these losses.

Today the Ceredigion marine environment is very different: a few fishing boats, a host of yachts, cruisers and dinghies. Boats are built on the Dyfi estuary at Steelkit described above, and will be built in a new boatyard at Gwbert on the Teifi. Powerful lifeboats and their willing volunteers make rescue much easier than it once was. But the sea is a harsh environment, the weather changeable, currents can be treacherous and harbour bars dangerous, while the rocks are as unforgiving as ever they were.

Gwybodaeth Ddefnyddiol
Useful Information

Tywydd
Mae gwynt cyffredin y gorllewin yn dod â thywydd cyfnewidiol i arfordir Bae Ceredigion. Byddwch yn barod am dywydd gwael a chymrwch ofal ychwanegol mewn amgylchiadau gwyntog. Gwisgwch neu gariwch ddillad cynnes a/neu ddillad sydd yn medru gwrthsefyll dur. Am wybodaeth bellach neu ragolygon tywydd pum niwrnod ewch i:

www.metoffice.com

Clogwyni
Mae gan Lwybr Arfordir Ceredigion nifer o deithiau cerdded dramatig ar ben clogwyni. Cadwch at y llwybr a chymerwch ofal – mae'r llwybr yn agos at ymyl y clogwyn mewn sawl lle.

Argyfwng
Os bydd argyfwng ffoniwch Gwylwyr y Glannau ar 999.

Esgidiau
Gwisgwch buts neu esgidiau cerdded trwm - gall llwybrau fod yn fwdlyd.

Llanw
Mae'r rhan o Lwybr yr Arfordir rhwng Cei Newydd a Llanina yn pasio dros y traeth yn Nhraethgwyn. Nid yw'r rhan hon ar gael adeg llanw uchel - edrychwch ar amgylchiadau'r llanw ymlaen llaw. Gellir defnyddio'r ffordd o Geinewydd i Lanina fel dewis arall, ond

Weather
The prevailing westerly wind brings changeable weather to the Cardigan Bay coast. Be prepared for bad weather and take extra care in windy conditions. Wear or carry warm and / or waterproof clothes on long walks. For further information or a five-day weather forecast go to:

www.metoffice.com

Cliffs
The Ceredigion Coast Path has a number of dramatic cliff top walks. Keep to the path and take care – the path is close to the cliff edge in many places.

Emergency
In case of emergency phone the Coastguard on 999.

Footwear
Always wear boots or heavy walking shoes – paths may be muddy

Tides
The section of the Coast Path between New Quay and Llanina passes over the beach at Traethgwyn. This section is not available at high water – please check tidal conditions in advance. The road from New Quay to Llanina can be used as an alternative, but care must be taken (the first section of road can be busy and there is no footway).

rhaid cymryd gofal (gall y rhan gyntaf o'r ffordd fod yn brysur ac nid oes troedffordd yno).

Mae traethau eraill - yn Llan-non a Borth – yn cynnig dewis i Lwybr yr Arfordir ond mae amodau'r llanw yn effeithio ar fynediad.

Gellir dod o hyd i amserlenni llanw Ceredigion ar wefan twristiaeth y Cyngor:

www.tourism.ceredigion.gov.uk/cymraeg

Da Byw
Mae sawl rhan o'r llwybr yn croesi tir fferm lle mae gwartheg a defaid yn pori. Cadwch eich ci o dan reolaeth, os gwelwch yn dda.

Cod Cefn Gwlad

'Parchwch - Diogelwch – Mwynhewch'

- Byddwch ddiogel – cynlluniwch ymlaen llaw a dilynwch unrhyw arwyddion
- Gadewch gatiau ac eiddo fel yr ydych yn dod o hyd iddynt
- Diogelwch blanhigion ac anifeiliaid, ac ewch â'ch sbwriel adref gyda chi
- Cadwch eich cun o dan reolaeth
- Ystyriwch bobl eraill

Canolfannau Croeso

Aberystwyth	01970 612125
Aberaeron	01545 570602
Borth	01970 871174
Aberteifi	01239 613230
Ceinewydd	01545 560865

Other beaches – at Llan-non and Borth – offer an option to the Coast Path but access is affected by tidal conditions.

Ceredigion tide tables for can be found on the Council's tourism web site:

www.tourism.ceredigion.gov.uk

Livestock
Many sections of the route cross farm land grazed by cattle or sheep. Please keep your dog under control.

Countryside Code

'Respect - Protect – Enjoy'

- Be Safe - plan ahead and follow any signs
- Leave gates and property as you find them
- Protect plants and animals, and take your litter home
- Keep dogs under close control
- Consider other people

Tourist Information Centres

Aberystwyth	01970 612125
Aberaeron	01545 570602
Borth	01970 871174
Cardigan	01239 613230
New Quay	01545 560865

Accommodation
Ceredigion offers a wide selection of quality graded hotels, guest houses, bed and breakfast, self catering, hostels and holiday parks. Further information on accommodation can be found on the following web sites:

www.tourism.ceredigion.gov.uk

Llety
Mae Ceredigion yn cynnig amrediad eang o westai wedi eu graddio o ran ansawdd, gwely a brecwast, hunanarlwyo, hosteli a pharciau gwyliau. Gellir cael gwybodaeth bellach ynglwn â thrafnidiaeth gyhoeddus yn yr adain drafnidiaeth gwefan y Cyngor Sir.

www.tourism.ceredigion.gov.uk/cymraeg

Trafnidiaeth Gyhoeddus
Mae trafnidiaeth gyhoeddus yn cynnig modd pleserus o archwilio arfordir Ceredigion. Mae amrediad o wasanaethau yn dilyn yr A487, gan gysylltu trefi a phentrefi'r arfordir. Mae yna hefyd wasanaeth trenau i Aberystwyth o'r Amwythig.

Gellir dod o hyd i wybodaeth bellach ar drafnidiaeth gyhoeddus yn adain drafnidiaeth gwefan y Cyngor Sir.

www.ceredigion.gov.uk

Mapiau Arolwg Ordnans

Landranger – 1:50,000

Map 145	Cardigan and Mynydd Preseli
Map 146	Llanbedr Pont Steffan a Llanymddyfri
Map 135	Aberystwyth a Machynlleth

Explorer – 1:25,000

Map 198	Aberteifi a Cheinewydd
Map 213	Aberystwyth a Chwmrheidol

Public Transport
Public transport offers an enjoyable means of exploring the Ceredigion coast. A range of services follow the A487, linking the coastal towns and villages. There is also a train service to Aberystwyth from Shrewsbury.

Further information on public transport can be found in the transport section of the County Council's web site.

www.ceredigion.gov.uk

Ordnance Survey Maps

Landranger – 1:50,000

Map 145	Cardigan and Mynydd Preseli
Map 146	Lampeter and Llandovery
Map 135	Aberystwyth and Machynlleth

Explorer – 1:25,000

Map 198	Cardigan and New Quay
Map 213	Aberystwyth and Cwmrheidol

Deunydd darllen pellach
Further Reading

Mae rhai o'r teitlau hyn allan o brint, ond maent i gyd ar gael yn Llyfrgell Gyfeirio'r Sir yn Aberystwyth, lle gellir darllen cyfnodolyn hanes y sir, sef *Ceredigion*, a'r cyhoeddiad blynyddol *Maritime Wales*.

M.G. Bassett (gol.), *Geological Excursions in Dyfed, South-West Wales* (Caerdydd, 1982).

David Browne a Toby Driver, *Bryngaer Pen Dinas Hill-fort: a Prehistoric Fortress at Aberystwyth* (Aberystwyth, 2001).

Susan Campbell-Passmore, *Farmers and Figureheads: the Port of New Quay and its Hinterland* (Caerfyrddin, 1992).

Terry Davies, *Borth: a Seaborn Village* (Carreg Gwalch, 2004).

M.R. Dobson (detholwr), *Geologists' Association Guide No.54: The Aberystwyth District* (1995).

Peter Henley, *Aber Prom* (Lolfa, 2005).

David Jenkins, *Jenkins Brothers of Cardiff: a Ceredigion Family's Shipping Ventures* (Caerdydd, 1985).

J. Geraint Jenkins, *Maritime Heritage: the Ships and Seamen of Southern Ceredigion* (Gomer, 1982).

Some of these titles are out of print, but all can be found in the County Reference Library at Aberystwyth, where the county history journal *Ceredigion* and the annual *Maritime Wales* can also be read.

M.G. Bassett (ed.), *Geological Excursions in Dyfed, South-West Wales* (Cardiff, 1982).

David Browne & Toby Driver, *Bryngaer Pen Dinas Hill-fort: a Prehistoric Fortress at Aberystwyth* (Aberystwyth, 2001).

Susan Campbell-Passmore, *Farmers and Figureheads: the Port of New Qyau and its Hinterland* (Carmarthen, 1992).

Terry Davies, *Borth: a Seaborn Village* (Carreg Gwalch, 2004).

M.R. Dobson (compiler), *Geologists' Association Guide No.54: The Aberystwyth District* (1995).

Peter Henley, *Aber Prom (Lolfa, 2005).*

David Jenkins, *Jenkins Brothers of Cardiff: a Ceredigion Family's Shipping Ventures* (Cardiff, 1985).

J. Geraint Jenkins, *Maritime Heritage: the Ships and Seamen of Southern Ceredigion* (Gomer, 1982).

J. Geraint Jenkins, *Traddodiad y Môr* (Carreg Gwalch, 2004).

Jon Meirion Jones, *Morwyr y Cilie* (Barddas, 2002)

John Meirion Jones, *Teulu'r Cilie* (Barddas, 1999)

L. Haydn Lewis, *Penodau yn Hanes Aberaeron a'r Cylch* (Gomer, 1970).

W.J. Lewis, *Born on a Perilous Rock: Aberystwyth Past and Present* (Cambrian News, ailargraffiadau).

W.J. Lewis, *The Gateway to Wales: a History of Cardigan* (Caerfyrddin, 1990).

Gerald Morgan, *North Cardiganshire Shipbuilding 1700-1880* (Aberystwyth, n.d).

Gerald Morgan, *Ceredigion: a Wealth of History* (Gomer, 2005)

David N. Thomas, *The Dylan Thomas Trail* (Tal-y-bont, 2003).

J. Geraint Jenkins, *Traddodiad y Môr* (Carreg Gwalch, 2004).

Jon Meirion Jones, *Morwyr y Cilie* (Barddas, 2002)

John Meirion Jones, *Teulu'r Cilie* (Barddas, 1999)

L.Haydn Lewis, *Penodau yn Hanes Aberaeron a'r Cylch* (Gomer, 1970).

W.J. Lewis, *Born on a Perilous Rock: Aberystwyth Past and Present* (Cambrian News, reprints).

W.J. Lewis, *The Gateway to Wales: a History of Cardigan (Carmarthen, 1990).*

Gerald Morgan, *North Cardiganshire Shipbuilding 1700-1880* (Aberystwyth, n.d).

Gerald Morgan, *Ceredigion: a Wealth of History* (Gomer, 2005)

David N. Thomas, *The Dylan Thomas Trail* (Tal-y-bont, 2003).